MINECRAFT

Publicado pela primeira vez em 2022 pela Farshore
Uma marca da HarperCollins*Publishers*
1 London Bridge Street, London SE1 9GF
www.farshore.co.uk

HarperCollins*Publishers*
2nd Floor, Macken House, 39/40 Mayor Street Upper, Dublin 1 D01 C9W8

Escrito por Thomas McBrien
Ilustrações adicionais por Kate Bieriezjanczuk
Agradecimentos especiais a Sherin Kwan, Alex Wiltshire and Milo Bengtsson

Este livro é uma criação original da Farshore

MOJANG
STUDIOS

ISBN 978-65-598-0054-4
Impresso na Itália
3
Esta edição brasileira foi feita pela HarperCollins Brasil.

Tradução: Flora Pinheiro
Publisher: Samuel Coto
Editora executiva: Alice Mello
Editora: Lara Berruezo
Editoras assistentes: Anna Clara Gonçalves e Camila Carneiro
Assistência editorial: Yasmin Montebello
Diagramação: Miriam Lerner | Equatorium Design
Revisão: João Pedro Gonçalves

SEGURANÇA NA INTERNET PARA OS JOGADORES MAIS JOVENS
Usar a internet é divertido! Aqui vão algumas regras simples para ajudar os jogadores mais jovens a ficarem em segurança e manter a internet como um espaço legal para passar o tempo:

- Nunca revele seu nome verdadeiro — não o use como username.
- Nunca dê nenhuma das suas informações pessoais.
- Nunca fale para ninguém em qual escola você estuda ou sua idade.
- Não fale para ninguém qual a sua senha, a não ser seus pais ou responsáveis.
- Lembre-se de que precisa ter 13 anos ou mais para criar uma conta em muitos sites. Sempre olhe as regras do site e peça permissão a seus pais ou responsáveis antes de criar uma conta.
- Sempre conte a seus pais ou responsáveis se algo estiver te preocupando.

Fique em segurança na internet. Os endereços de sites citados neste livro estão corretos no momento da impressão. Entretanto, a Farshore não é responsável por conteúdo hospedado por terceiros. Por favor, esteja ciente de que conteúdo on-line está sujeito a mudanças e websites podem conter informações inadequadas para crianças. Recomendamos que as crianças sejam supervisionadas quando estiverem usando a internet.

MIX
Paper from
responsible sources
FSC™ C007454

MINECRAFT

GUIA DE SOBREVIVÊNCIA

SUMÁRIO

BEM-VINDO AO GUIA DE SOBREVIVÊNCIA DO MINECRAFT!

Existem muitas maneiras de jogar Minecraft, e uma das mais populares é o Modo Sobrevivência. Nele, você precisa encontrar seu próprio caminho no jogo, apenas criando com os blocos que encontrar e enfrentando muitos perigos, consciente de que um movimento em falso pode botar tudo a perder. É super emocionante — e super desafiador!

Talvez você tenha escolhido este livro porque está tentando sobreviver à sua primeira noite, ou talvez tenha começado sua jornada e esteja procurando por um pouco de apoio. Ou será que você já é um herói experiente e quer saber o que o espera do outro lado da montanha?

Não importa seu grau de experiência, este guia vai apresentar tudo o que você precisa saber para se estabelecer e ter sucesso no Modo Sobrevivência. Você vai entender a interface de usuário do Minecraft e aprender a criar ferramentas essenciais. Além disso, vai saber como se defender de criaturas temíveis e se manter bem alimentado, e como encontrar aldeões amigáveis, fermentar poções e encantar seu equipamento.

Por fim, partiremos para as estranhas e ameaçadoras dimensões do Nether e do End, onde você vai precisar usar tudo o que aprendeu para se tornar o herói que estava destinado a ser.

O mundo é grande e cheio de aventuras.

ENTÃO VAMOS LÁ!

COMEÇANDO

BEDROCK EDITION E JAVA EDITION

O Minecraft está disponível em duas versões: Bedrock Edition e Java Edition. Ambas oferecem a mesma experiência Minecraft com pequenas diferenças, mas o multiplayer é restrito a cada edição.

JAVA EDITION

BEDROCK EDITION

QUAL DISPOSITIVO?

Você pode jogar Minecraft em diferentes dispositivos, de telefones celulares a consoles de jogos e até headsets de realidade virtual. Dependendo do dispositivo que usar, você pode jogar a Bedrock Edition ou a Java Edition. Bedrock é a edição que permite o jogo entre plataformas entre consoles, dispositivos móveis e Windows, enquanto Java é a edição original do Minecraft e permite o jogo entre plataformas entre Windows, Linux e MacOS .

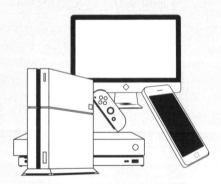

SUPER DICA

Se você não souber bem qual edição escolher, pergunte a seus amigos qual versão eles jogam. Usar a mesma edição permite o modo multijogador multiplataforma!

JUNTE-SE A UM SERVIDOR

Quer se juntar aos seus amigos em um servidor já existente? Você pode clicar em Multijogador e adicionar o servidor deles para jogarem juntos. Basta digitar o nome e o endereço do servidor, clicar em Concluído e selecionar o servidor no menu Multijogador.

Antes de mergulhar no Mundo Superior, primeiro você deve decidir como vai jogar e em qual dispositivo. Se quiser jogar com amigos, é importante escolher a edição certa do jogo. O foco deste livro é o jogo Minecraft: Bedrock Edition, que difere ligeiramente do Minecraft: Java Edition.

SINGLE PLAYER OU MULTIPLAYER

Depois de escolher uma edição e instalar o jogo, é hora de escolher sua aventura. No Minecraft, você pode optar por jogar em modo Jogador Único ou Multijogador.

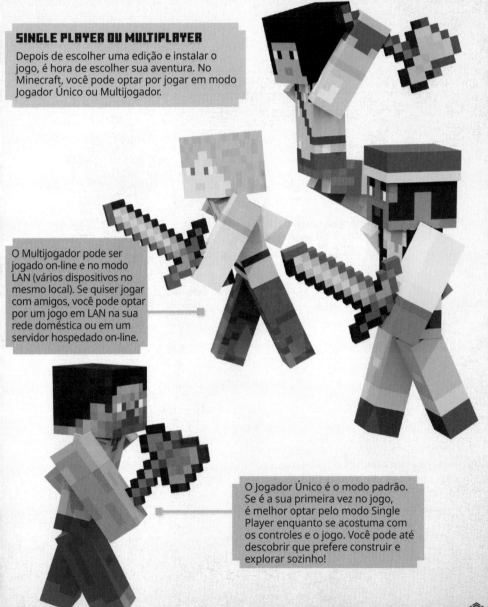

O Multijogador pode ser jogado on-line e no modo LAN (vários dispositivos no mesmo local). Se quiser jogar com amigos, você pode optar por um jogo em LAN na sua rede doméstica ou em um servidor hospedado on-line.

O Jogador Único é o modo padrão. Se é a sua primeira vez no jogo, é melhor optar pelo modo Single Player enquanto se acostuma com os controles e o jogo. Você pode até descobrir que prefere construir e explorar sozinho!

MODO SOBREVIVÊNCIA

Com terrenos desconhecidos e criaturas perigosas à espreita,
dar o primeiro passo no Mundo Superior no Modo Sobrevivência
pode ser um desafio. Para superá-lo, você vai ter que se
preparar para os perigos desconhecidos à frente. Mas por onde
começar? Sem um curso definido a seguir, cabe a você encontrar
seu próprio caminho neste mundo selvagem de blocos. Continue
a leitura para aprender sobre o Modo Sobrevivência e como se
manter vivo no Minecraft. Vamos começar!

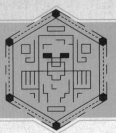

O QUE É O MODO SOBREVIVÊNCIA?

POR QUE JOGAR O MODO SOBREVIVÊNCIA?

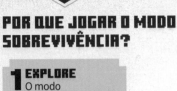

1 EXPLORE
O modo sobrevivência o coloca contra os elementos. Você pode vagar pelos territórios para descobrir segredos, mas tome cuidado com as bordas dos penhascos, lagos de lava e muitos outros perigos naturais.

2 LUTE CONTRA CRIATURAS
Creepers explosivos e esqueletos com arcos patrulham o mundo em busca de jogadores desavisados para aterrorizar. Esteja preparado para enfrentar — ou para fugir — dessas criaturas e viver mais um dia.

3 RECURSOS
Você vai ter que encontrar e coletar todos os recursos necessários. Alguns serão fáceis de encontrar, outros vão levar você a aventuras ousadas em lugares distantes.

4 SOBREVIVA
Criaturas hostis são invocadas a cada anoitecer, então cabe a você se planejar e garantir sua sobrevivência criando equipamentos e construindo estruturas.

No Modo Sobrevivência, os jogadores devem explorar, construir e batalhar para sobreviver. Começando apenas com sua inteligência para mantê-lo em segurança, você deve ser rápido e coletar recursos para sobreviver à sua primeira noite e muitas outras por virem. Cuidado por onde anda! Há muitos perigos aos quais você deve ficar alerta.

QUEM ARRISCA...

O Modo Sobrevivência é cheio de emoções e perigo. Diferente do Modo Criativo, você morre se perder todos os pontos de vida. Claro, você sempre pode renascer, mas vai perder todos os seus itens e pontos de experiência. O perigo maior torna o jogo muito mais recompensador.

CICLO DE UM DIA

No Minecraft, o tempo passa exatamente 72 vezes mais rápido do que no mundo real – ou seja, um dia inteiro a cada 20 minutos. No ciclo de um dia completo, o sol nasce e se põe. Fique de olho no relógio, pois assim que o sol começa a se pôr, um grande número de criaturas começa a aparecer em cantos escuros e os perigos ficam menos visíveis com a pouca luz. É o momento mais perigoso do jogo, e além disso nada cresce no escuro, então é melhor você encontrar um lugar seguro para dormir!

RELÓGIO INDICANDO NOITE

RELÓGIO INDICANDO DIA

SUPER DICA

Quando escurecer, você pode dormir a noite toda usando uma cama.

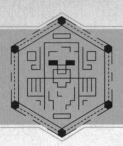

PERSONALIZE SEU NOVO MUNDO

MODO DE JOGO

Para aproveitar este livro ao máximo, jogue no Modo Sobrevivência. O Modo Criativo oferece acesso ilimitado a todos os blocos e itens disponíveis, enquanto no Modo Sobrevivência cabe a você coletar recursos para construir, fabricar e sobreviver. Os jogadores da Java Edition também podem jogar no modo Hardcore, no qual a dificuldade é a difícil e você não renascerá caso morra.

DIFICULDADE

Há três níveis além do modo Normal: Pacífico, Fácil e Difícil. No Pacífico, os jogadores recuperam vida rapidamente e a maioria das criaturas hostis não é invocada — e as que são não podem causar dano. No Fácil, as criaturas causam menos dano, aparecem com menos equipamentos e causam menos estragos. No Difícil, as criaturas causam muito mais dano e muitas são invocadas com poderes que as tornam mais perigosas.

PERMITIR CHEATS

Ative esta opção para permitir cheats. Cheats vão facilitar a experiência, mas também impedirão que você conquiste Progressos. O Modo Sobrevivência é melhor com os cheats desativados.

PACOTES DE DADOS

Os pacotes de dados permitem personalizar a sua experiência. Esses pacotes podem alterar texturas, criar novas Conquistas e adicionar e remover conteúdo. Eles podem ser encontrados no Minecraft Marketplace.

REGRAS DO JOGO

Aqui, você pode ativar várias opções padrão de jogo antes de gerar seu mundo. Há muitas configurações que você pode alterar, como aumentar a velocidade do tick ou manter seu inventário após morrer.

Ao configurar um novo mundo pela primeira vez, você terá a opção de personalizar as configurações de geração de mundo. Isso vai definir como seu jogo é jogado, como será a paisagem e como as estruturas serão invocadas. Dependendo de como deseja jogar, você pode alterar essas configurações para melhor atender às suas necessidades.

SEMENTE

Cada mundo tem uma semente única – um código identificador de 19 dígitos usado para gerar um mundo. Você pode gerar uma semente aleatória ou inserir uma já existente para jogar em um mundo que gera recursos idênticos para todos usando a mesma semente. Assim, você pode repetir seus mundos ou comparar suas aventuras de sobrevivência com amigos.

ESTRUTURAS GERADAS

O Minecraft está cheio de estruturas geradas (consulte as páginas 44 e 88). Se quiser jogar em um ambiente completamente vazio, você pode desativar a opção Estruturas Geradas para impedir que elas apareçam automaticamente. No entanto, sem elas o progresso no jogo será limitado.

BAÚ BÔNUS

Selecionar esta opção fará com que um baú apareça perto do ponto de nascimento do jogador quando um novo mundo é gerado. Ele gera uma coleção aleatória de itens básicos para o início de jogo.

TIPO DE MUNDO

Ative esta opção para determinar como os mundos são gerados. A opção Padrão vai gerar uma paisagem variada e exuberante, enquanto a opção Superplano gerará pastos planos em Bedrock. Os jogadores da Java Edition podem criar mundos Amplificados com montanhas maiores e um terreno implacável.

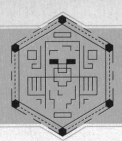

MEDIDORES DO JOGADOR

1 BARRA DE VIDA

Esses corações representam sua barra de vida. Cada coração vale dois pontos de vida e você pode ter no máximo 20 pontos de vida. Você perde corações quando sofre dano, mas eles se regeneram quando sua barra de fome está cheia.

2 BARRA DE FOME

Sua barra de fome é composta por dez coxas de frango, cada uma equivalente a dois pontos de fome. Ele diminui quando você executa ações como correr, pular e minerar. Uma barra de fome cheia regenera pontos de vida.

3 BARRA DE EXPERIÊNCIA

Experiência (XP) é ganha a partir de esferas de experiência, obtidas com mineração, criação, comércio e derrotando criaturas. Ao ganhar XP, você sobe de nível, o que permite o uso de encantamentos etc., e o progresso é marcado pela barra verde

4 BARRA RÁPIDA

A barra rápida é um mini inventário para seus itens, armas e ferramentas mais usados no HUD. Você pode alternar entre esses itens sem abrir o inventário. É uma boa prática manter a espada sempre à mão.

SUPER DICA

Você pode personalizar blocos, ferramentas e itens que aparecem na sua barra rápida acessando a tela do inventário. A barra rápida é a linha inferior da tela do inventário e você pode mover seus itens dos espaços de armazenamento para sua barra rápida. Coloque itens úteis próximos para alternar facilmente entre eles.

é hora de entrar no Mundo Superior. Aperte o "Jogar" e crie seu primeiro mundo. Ao nascer, você estará em um bioma semelhante a este. O heads-up display (HUD) mostra tudo o que você precisa saber sobre seus medidores de sobrevivência. Vamos ver o que isso tudo significa.

5 INVENTÁRIO

Seu inventário consiste em 27 espaços de armazenamento, um espaço da mão secundária e uma grade de criação 2x2. Muitos blocos e itens podem ser empilhados juntos, até um máximo de 64, enquanto outros, como ferramentas, não podem.

6 MÃO SECUNDÁRIA

Você pode equipar um item secundário em seu espaço de mão secundária via inventário. Isso lhe dá a opção de usar itens de duas mãos, embora alguns jogadores usem tochas ou escudos na mão secundária para se defenderem.

7 ESPAÇOS DE ARMADURA

Estes são seus espaços de equipamento. Você pode usar capacete, peitoral, calças e botas para aumentar sua defesa e ajudá-lo a continuar vivo. Cada peça de armadura aumenta sua proteção total contra ataques.

8 LIVRO DE RECEITAS

O livro de receitas é um catálogo de receitas em Minecraft. Ele mostra tudo o que pode criado com os materiais em seu inventário. Porém, algumas receitas precisam de uma bancada.

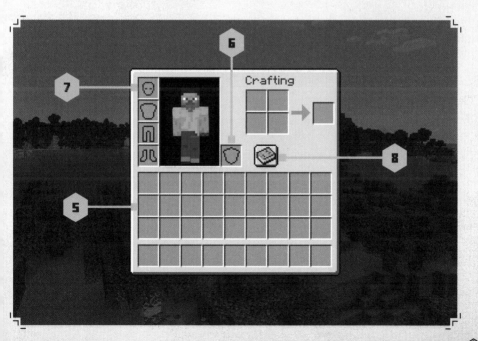

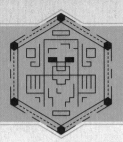

RECURSOS

BLOCOS

Blocos são unidades estruturais básicas que podem ser colocadas diretamente no mundo do jogo ou usados para criar. Você pode coletar blocos socando, cavando e minerando com os punhos ou com ferramentas criadas. Coletar, criar e usar blocos é essencial para sua sobrevivência.

Inventário

ITENS

Itens são objetos que podem ser adicionados ao seu inventário, como alimentos e materiais de criação. São diferentes dos blocos, não podendo ser colocados no mundo do jogo. Podem ser usados em receitas e pelo seu personagem.

FERRAMENTAS

Existe uma ferramenta para tudo em Minecraft. Muitos blocos podem ser coletados manualmente, mas ferramentas como picaretas e pás aceleraram o processo. Uma pederneira coloca fogo em alguns blocos, a bússola ajuda na orientação e as armas fazem a diferença na batalha (ver página 18).

Olhe em volta no jogo e você verá do que o Minecraft é feito: blocos. Esses blocos são seus recursos – use-os para construir, batalhar e sobreviver. Alguns blocos e criaturas soltam itens, e você pode combinar itens e blocos para fazer ferramentas. Quanto mais jogar, mais descobertas você vai fazer!

USANDO RECURSOS

Ao começar um jogo, você descobre árvores que pode cortar para obter madeira, cavernas de carvão e minérios e sementes que pode coletar para sua plantação. Para aproveitar ao máximo esses recursos, primeiro você precisa criar algumas coisas usando seu livro de receitas.

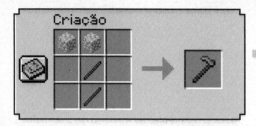

CRIAÇÃO

Com apenas quatro ingredientes, é possível criar em seu inventário, mas se quiser mais receitas você pode fazer uma bancada, o que lhe permite nove ingredientes. Você pode usar seu livro de receitas para descobrir o que criar com os recursos disponíveis.

Receita de Bancada

SUPER DICA

Muitos recursos inflamáveis podem servir de combustível, como carvão e madeira. Também é possível usar blocos de madeira como escadas e lajes.

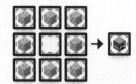

Receita de Fornalha

FORNALHAS

A fornalha pode ser usada para cozinhar alimentos e fundir blocos, permitindo que você forje inúmeros itens úteis, como barras de ferro, vidro e tijolos do Nether. Mas você deve mantê-la abastecida com combustível para continuar fundindo itens.

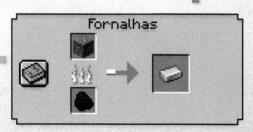

Fornalhas

A FERRAMENTA CERTA

FORÇA DE ATAQUE E DURABILIDADE

As ferramentas podem ser criadas com madeira, pedra, ferro, ouro, diamante e netherita. Quanto melhor for o material usado, mais rápido você vai coletar recursos e maior a durabilidade da sua ferramenta. Ferramentas melhores também são necessárias para coletar recursos mais raros.

PICARETA

TIPOS						
FORÇA DE ATAQUE	1	3	4	2	5	6
DURABILIDADE	60	132	251	33	1562	2032

A picareta provavelmente será a sua primeira ferramenta em Minecraft e a mais usada. São necessárias para extrair minérios, pedras e metais. Picaretas específicas são necessárias para certos tipos de blocos – se você usar uma picareta fraca demais para o material que está coletando, o bloco vai quebrar sem deixar cair nada.

MACHADO

TIPOS						
FORÇA DE ATAQUE	3	4	5	3	6	7
DURABILIDADE	60	132	251	33	1562	2032

Se quiser cortar árvores ou coletar blocos de madeira com rapidez, o machado é a ferramenta ideal. No entanto, o machado também é mortal. Embora um pouco menos poderoso que a espada, o machado ainda é muito eficaz na batalha contra criaturas.

ESPADA

TIPOS						
FORÇA DE ATAQUE	4	5	6	4	7	8
DURABILIDADE	60	132	251	33	1562	2032

A espada é a principal arma corpo a corpo. Uma boa espada será útil ao enfrentar criaturas perigosas. Também podem ser usadas para extrair recursos como bambu e teias de aranha.

Seja cultivando alimentos, cortando árvores ou minerando diamantes, coletar recursos é uma grande parte do jogo. Assim, você precisará da ferramenta certa – usar a ferramenta adequada acelera a coleta, e usar a errada, por outro lado, pode destruir o bloco.

ENXADA

TIPOS						
FORÇA DE ATAQUE	2	3	4	2	5	6
DURABILIDADE	60	132	251	33	1562	2032

Para quem tem o dedo verde, a enxada é uma companheira inestimável. É perfeita para cultivar blocos de terra ou grama para criar terra arada e também pode ser feita de foice para colher blocos de plantas.

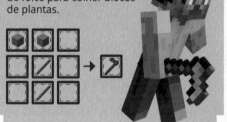

PÁ

TIPOS						
FORÇA DE ATAQUE	1	2	3	1	4	5
DURABILIDADE	60	132	251	33	1562	2032

As pás são a maneira mais rápida de mover sujeira, areia e outros blocos macios. Também podem transformar blocos de terra em caminhos e apagar fogueiras.

TOSQUIADEIRA

Se uma ovelha precisa ser tosada, a tosquiadeira é a ferramenta certa. Com ela, vai ser fácil e rápido pegar a lã de uma ovelha. Tosquiadeiras também têm muitos outros usos, como colher sementes e cortar teias de aranha.

PEDERNEIRA

Uma pederneira solta faíscas — use-a para acender fogueiras apagadas e velas e para ativar portais do Nether. Também servem para ativar dinamite – mas cuidado para não se explodir por acidente!

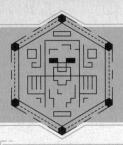

CAVE UMA MINA

DICAS DE OURO

A mineração não é só questão de sorte – há truques para aumentar seu sucesso com recursos raros.

ILUMINAÇÃO

O subterrâneo é escuro, então traga tochas para iluminar e revelar o que está ao seu redor. Sem conseguir ver os blocos, você não sabe o que está minerando! A luz também impedirá que criaturas hostis apareçam.

APURE O OUVIDO

Aumente o volume e escute bem — consegue ouvir a água pingando ou os gemidos de um zumbi próximo? Os ruídos próximos revelarão cavernas na área que valem a pena ser exploradas... ou criaturas a evitar!

SUPER DICA

Ativar as legendas ajuda a identificar a origem dos ruídos.

LOCALIZAÇÃO

Se está em busca de blocos específicos, é importante procurar nos lugares certos. Embora muitos possam ser encontrados em todo o mundo do jogo, alguns só são achados em biomas específicos. Se busca minério de ouro, por exemplo, procure no Bioma de Ermo. Consulte as páginas 38–45 para aprender mais sobre os biomas.

A mineração é essencial para o Modo Sobrevivência. Não importa o que você faça ou para onde vá, é preciso minerar para progredir no jogo. Felizmente, a mineração é muito divertida e há muitas estratégias possíveis, além de dicas para melhorar seu rendimento.

COMO MINERAR

Primeiro, é preciso se preparar. Antes de partir em uma expedição, junte os recursos para sobreviver — uma picareta, uma pá, tochas e um pouco de comida. Então, use uma estratégia eficaz para minerar o número máximo de blocos com o mínimo de escavação.

MINERAÇÃO EM RAMIFICAÇÃO

Uma estratégia popular é a mineração em ramificação, a forma mais fácil de cavar; basta pegar suas ferramentas e começar a criar um buraco no chão. Ao fazer uma série de passagens que se ramificam de uma rota principal, você explora um terreno maior.

PRÓS
- Pode ser usada em qualquer lugar
- Muitos recursos

CONTRAS
- É difícil encontrar recursos específicos
- Dá trabalho e as ferramentas serão destruídas rapidamente

CAVERNAS

Muitos jogadores gostam de explorar cavernas. Investigue seus arredores e procure a entrada de uma caverna levando ao subterrâneo. Essas cavernas o levam a bem abaixo da superfície, com recursos visíveis.

PRÓS
- As ferramentas duram mais
- Os recursos são mais fáceis de encontrar

CONTRAS
- Podem ser difíceis de encontrar
- É fácil se perder
- Há criaturas à espreita

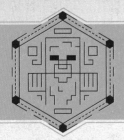

HORA DE COMER

FOME

Seu nível de fome é tão importante quanto sua vida, porque pode afetar seus medidores e habilidades. Uma barra de fome baixa fará você andar mais devagar. Se chegar a zero, você vai começar a perder pontos de vida e nem vai conseguir mais dormir.

20 PONTOS DE FOME
Recupera imediatamente dois pontos de vida ao sofrer dano.

6-17 PONTOS DE FOME
Você não perde nem ganha pontos de vida.

<6 PONTOS DE FOME
Você não pode mais correr.

>18 PONTOS DE FOME
Você recupera lentamente os pontos de vida perdidos.

0 PONTOS DE FOME
Você perde lentamente pontos de vida.

Jogar no Modo Sobrevivência significa ficar de olho nas barras de vida e fome. Se elas caírem muito, logo vai ser difícil sobreviver! Cada ação sua terá um efeito em sua barra de fome, mas felizmente você pode reabastecer a barra comendo comida.

Os jogadores têm dois medidores de comida: fome e saturação. Ambas aumentam quando você come, mas só a fome é visível no HUD. A saturação pode diminuir a necessidade de comer, pois quanto maior ela for, mais devagar seus pontos de fome se esgotam. Alguns dos melhores alimentos para saturação são as rodelas de melão, as cenouras – principalmente as douradas –, os bifes e as costeletas de porco. O nível de saturação é definido pela última comida que você comeu, então alimente-se bem!

Naturalmente, você vai querer os melhores alimentos para manter sua barra de fome cheia. Mas alguns alimentos podem ser difíceis – e perigosos – de encontrar. Você vai encontrá-los com o tempo, mas no começo é melhor buscar os alimentos fáceis. Que tal experimentar estas deliciosas guloseimas?

BETERRABA

Com sorte, você encontrará vegetais como a beterraba, que poderá plantar, cultivar e comer.

PÃO

Você pode criar pão usando uma bancada e 3 trigos. O pão é uma fonte de alimento muito eficiente e sustentável.

CEREJAS

Cerejas podem ser coletadas de arbustos nos biomas de taiga. Cuidado com os espinhos!!!

BATATA ASSADA

Batatas assadas são muito saciantes. Cozinhe batatas na fornalha, na fornalha potente ou em uma fogueira.

BIFE CRU

É obtido da maioria dos animais de fazenda. O das vacas pode ser comido cru ou cozido para ganhar mais pontos de fome.

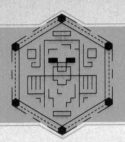

HORA DE COMER

ALIMENTOS BÁSICOS

A maioria dos alimentos, como peixe, carne, frutas e vegetais, pode ser consumida pura, e restaura a saciedade e a barra de fome. Embora os valores nutricionais possam variar, é sempre possível se manter com alimentos básicos.

RECEITAS

Alguns alimentos não podem ser consumidos crus ou saciam pouco até serem combinados em receitas. Esses novos alimentos criados são bem úteis, sejam garrafas de mel para curar veneno ou um bolo para sua festa de aniversário. Alimentos criados a partir de receitas são muito mais nutritivos, mas exigem mais recursos. Se tiver uma plantação (ver páginas 26–29), você pode produzir muitos dos ingredientes necessários. Há muitas receitas deliciosas para criar. Seguem algumas de nossas favoritas.

Receita de bolo

Receita de maçã dourada

Receita de biscoito

Ao explorar, você vai encontrar mais fontes de alimentos. Alguns podem ser comidos puros e outros podem ser usados em receitas deliciosas. Há até alimentos com propriedades mágicas. Não deixe os itens comestíveis passarem batido, pois ter a comida certa em seu inventário pode salvar sua vida!

CURAS E VENENOS

Cuidado com o que come – e não estamos falando de biscoitos antes do jantar! Alguns alimentos provocam um efeito, que pode ser benéfico ou prejudicial ao seu bem-estar. A carne podre deixa você envenenado. Beber leite cura todos os efeitos, mesmo os positivos.

PROPRIEDADES MÁGICAS

Alguns alimentos têm propriedades mágicas, como a fruta do coro. Ao comê-la, você pode se teletransportar aleatoriamente para um local próximo. Pode ser útil em uma queda, pois você é teletransportado para o chão e não sofre danos de queda.

EFEITOS

Aprenda sobre os efeitos que você pode receber ao comer diferentes alimentos

ANTÍDOTO	Cura o efeito de Veneno.	**VENENO**	Causa danos ao longo do tempo.
ABSORÇÃO	Dá corações de vida extras em sua barra de vida.	**REGENERAÇÃO**	Restaura a vida ao longo do tempo.
CEGUEIRA	Prejudica a visão.	**RESISTÊNCIA**	Reduz o dano sofrido.
RESISTÊNCIA AO FOGO	Anula a maioria dos danos de fogo.	**TELEPORTE**	Teleporta para um bloco próximo.
FOME	Faz a barra de fome se esgotar mais rápido.	**FRAQUEZA**	Diminui o seu poder de ataque.
SALTO TURBINADO	Aumenta temporariamente a altura de seus saltos.	**WITHER**	Causa dano a você ao longo do tempo.
NÁUSEA	Distorce e balança a sua visão.	**SATURAÇÃO**	Reabastece a barra de fome do jogador e reduz a necessidade de comer.
VISÃO NOTURNA	Aumenta a capacidade de ver no escuro e debaixo d'água.		

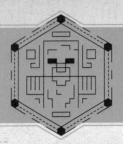

CULTIVO DE
VEGETAIS

PLANTANDO VEGETAIS

Plantações são a maneira mais simples de coletar alimentos. Você pode escolher dentre diferentes plantas, de trigo e beterraba a cenouras e batatas. É possível usar sementes ou vegetais em sua plantação. Vamos conferir alguns ingredientes úteis para suas receitas.

PÃO

O trigo não pode ser comido puro. Mas usar trigos em uma bancada vai fazer um pão delicioso.

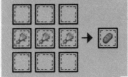

SEMENTE	CRESCE DE	COMIDA			
🌾 TRIGO	SEMENTES DE TRIGO	🥖 5			
🫐 BETERRABA	SEMENTES DE BETERRABA	🫐 1		🥣 6	
🥕 CENOURA	CENOURAS	🥕 3		🥕 6	
🥔 BATATA	BATATAS	🥔 1		🥔 5	
🍈 MELANCIA	SEMENTES DE MELANCIA	🍉 2			
🎃 ABÓBORA	SEMENTES DE ABÓBORA	🎃 8			

SOPA DE BETERRABA

Crie uma vasilha com tábuas de madeira e adicione beterraba para criar uma sopa.

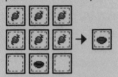

TORTA DE ABÓBORA

Se você tiver ovos de galinha e açúcar, por que não criar uma torta de abóbora?

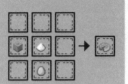

CENOURA DOURADA

Cenouras douradas podem ser comidas e usadas para criar. Use 8 pepitas de ouro e uma cenoura para criar uma.

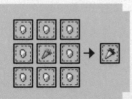

Alimentos são essenciais para sobreviver no Minecraft, então você vai precisar de um suprimento constante deles. Uma plantação é um jeito excelente de manter a despensa cheia. Você pode cultivar plantações, criar criaturas — ou fazer as duas coisas! — e é possível automatizar o processo.

COMO PLANTAR VEGETAIS

Antes de plantar seus vegetais, você vai precisar preparar sua terra arada. A plantação precisa de três condições essenciais para crescer: terras aradas, água e luz. Esta fazenda básica tem tudo que você precisa para começar o cultivo.

LUZ

A plantação precisa de luz para crescer. O sol a fará crescer durante o dia, mas você também pode colocar outras fontes de luz, como tochas, para que continue a crescer à noite.

TERRA ARADA

Para plantar suas sementes, você precisará de terra arada. É só usar uma enxada em alguns blocos de grama ou terra para preparar a terra. Em seguida, plante as sementes que tiver em seu inventário e veja-as crescerem.

FONTE DE ÁGUA

Coloque uma fonte de água em sua terra arada despejando um balde de água. Isso mantém o solo irrigado e hidrata áreas até quatro blocos ao redor.

FAÇA A COLHEITA

Quando os vegetais estiverem crescidos, você pode colher a comida clicando na planta. Algumas podem ser comidas cruas, mas outras, como o trigo, precisam ser usadas em receitas deliciosas.

SUPER DICA

Você sabia que a farinha de osso ajuda as plantas a crescerem? Crie farinha de osso a partir de ossos e use-a nas sementes para acelerar o crescimento.

27

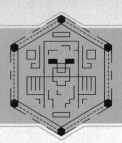

CRIAÇÃO DE CRIATURAS

COLETANDO CARNE

Para coletar carne, você deve primeiro derrotar a criatura para fazê-la dropar itens. Há criaturas por todo o Mundo Superior, mas a melhor estratégia para manter um suprimento de comida é ter uma fazenda e reproduzir as criaturas, ou você vai perder tempo procurando por mais quando ficar sem.

SUPER DICA

Derrotar uma criatura com um arco encantado com Chama ou uma espada com Aspecto de Fogo vai cozinhar os alimentos dropados!

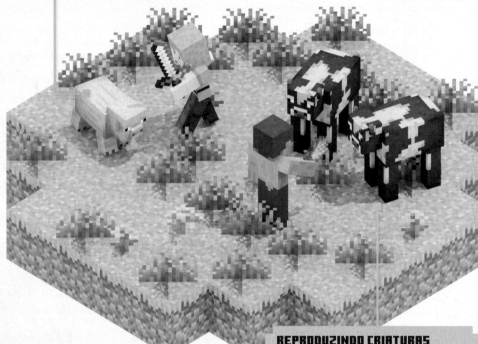

REPRODUZINDO CRIATURAS

Para reproduzir criaturas, você precisa encontrar dois adultos da mesma espécie e lhes dar sua comida favorita. Isso os fará se reproduzirem. Então, repita o processo até ter um rebanho próspero. As criaturas só podem se reproduzir uma vez a cada cinco minutos, então é preciso paciência!

SUPER DICA

Criaturas bebês não dropam itens. Elas levam 20 minutos para virarem adultas, e podem ser alimentadas para crescerem mais rápido.

A criação de criaturas é uma fonte de alimento mais nutritiva. No entanto, dá mais trabalho que o cultivo de uma plantação. Antes de poder coletar a carne, primeiro é preciso reproduzir os animais para não acabar sem nenhum. A prática também lhe dará alguns itens úteis para criar.

COZINHANDO ALIMENTOS

Embora você possa comer muitas das carnes cruas, é melhor cozinhá-las, pois isso aumenta muito a quantidade de vida e saturação. Você pode cozinhar com fornalhas, fogueiras ou defumadores. Defumadores cozinham com o dobro da rapidez de uma fornalha, mas com metade da experiência, e fogueiras cozinham quatro itens por vez sem precisar de combustível.

ENSOPADOS

Ensopados são mais nutritivos do que carne pura, mas demandam mais recursos. Crie uma vasilha para o seu ensopado usando três tábuas, então experimente estas receitas:

Receita de ensopado de coelho

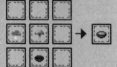

Receita de ensopado de cogumelos

CRIATURA	REPRODUZIR COM	ALIMENTOS	
GALINHA	SEMENTES DE TRIGO SEMENTES DE MELANCIA SEMENTES DE BETERRABA SEMENTES DE ABÓBORA	🍗 2	🍗 6 *Frango cru pode ser venenoso e causar o efeito Fome.*
OVELHA	TRIGO	🍖 2	🍖 6
COELHO	CENOURA CENOURA DOURADA DENTE-DE-LEÃO	🍖 3	🍖 5
PORCO	CENOURAS BATATAS BETERRABAS	🍖 3	🍖 8
HOGLIN	FUNGO CARMESIM	🍖 3	🍖 8
VACA	TRIGO	🍖 3	🍖 8

Adicione uma flor à grade de receita de seu ensopado de cogumelos para criar um ensopado misterioso com um efeito aleatório!

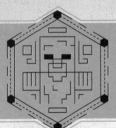

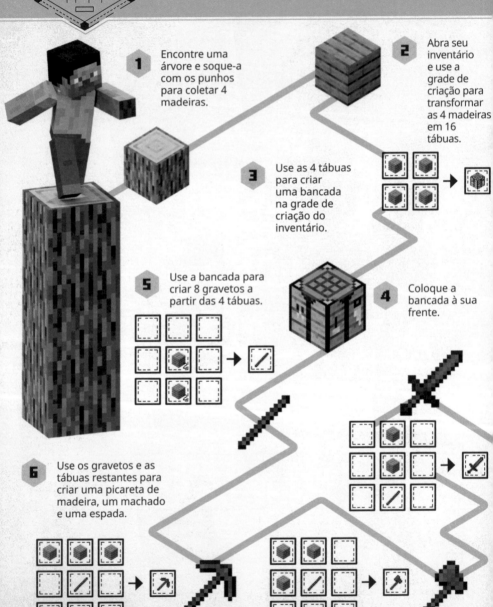

1 Encontre uma árvore e soque-a com os punhos para coletar 4 madeiras.

2 Abra seu inventário e use a grade de criação para transformar as 4 madeiras em 16 tábuas.

3 Use as 4 tábuas para criar uma bancada na grade de criação do inventário.

4 Coloque a bancada à sua frente.

5 Use a bancada para criar 8 gravetos a partir das 4 tábuas.

6 Use os gravetos e as tábuas restantes para criar uma picareta de madeira, um machado e uma espada.

Agora que você sabe o básico, vamos nos aprofundar no jogo. Seu primeiro dia no Mundo Superior será desafiador, mas se você for rápido e reunir recursos, poderá se preparar antes do cair da noite. Este guia passo a passo ajudará você a embarcar em sua primeira jornada no Minecraft.

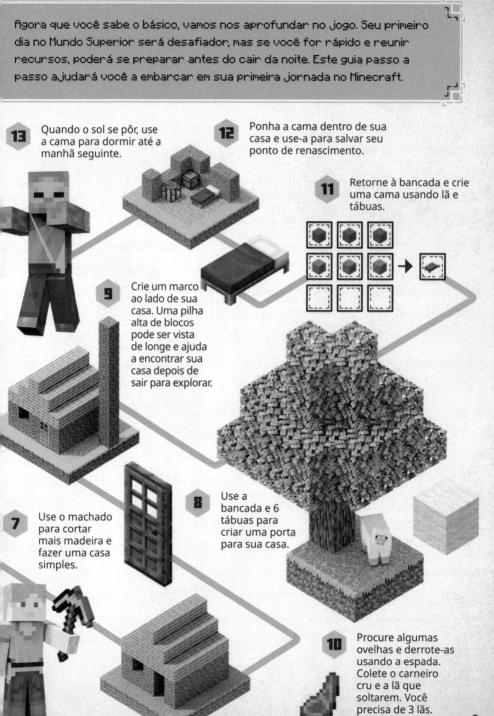

13 Quando o sol se pôr, use a cama para dormir até a manhã seguinte.

12 Ponha a cama dentro de sua casa e use-a para salvar seu ponto de renascimento.

11 Retorne à bancada e crie uma cama usando lã e tábuas.

9 Crie um marco ao lado de sua casa. Uma pilha alta de blocos pode ser vista de longe e ajuda a encontrar sua casa depois de sair para explorar.

7 Use o machado para cortar mais madeira e fazer uma casa simples.

8 Use a bancada e 6 tábuas para criar uma porta para sua casa.

10 Procure algumas ovelhas e derrote-as usando a espada. Colete o carneiro cru e a lã que soltarem. Você precisa de 3 lãs.

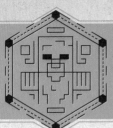

SEGUNDO DIA

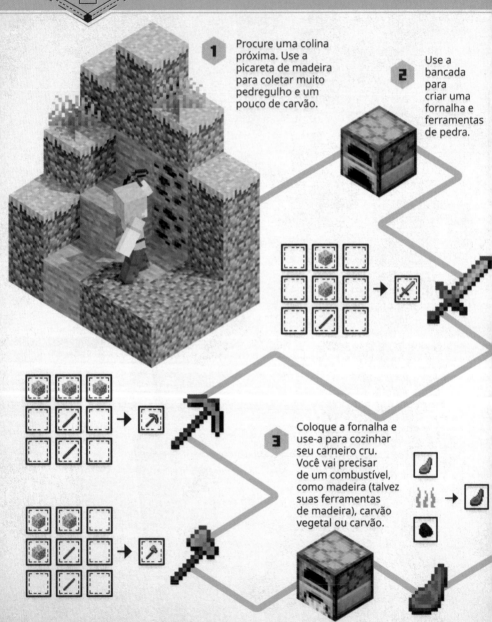

1 Procure uma colina próxima. Use a picareta de madeira para coletar muito pedregulho e um pouco de carvão.

2 Use a bancada para criar uma fornalha e ferramentas de pedra.

3 Coloque a fornalha e use-a para cozinhar seu carneiro cru. Você vai precisar de um combustível, como madeira (talvez suas ferramentas de madeira), carvão vegetal ou carvão.

Você sobreviveu à sua primeira noite. Muito bem! Mas foi só o primeiro passo. Continue a montar sua base procurando por novos materiais e – igualmente importante – comida! Há muitos recursos que podem satisfazer sua barra de fome e fornecer materiais para sua casa.

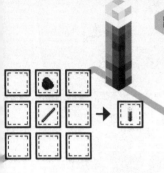

8 Procure uma caverna e aventure-se no subterrâneo para encontrar ferro. Não esqueça as tochas. Use a picareta de pedra para extrair minério de ferro.

7 Crie uma tocha usando carvão e um graveto. Se não tiver carvão, use carvão vegetal. Para fazê-lo, é só fundir toras em uma fornalha.

6 Procure uma fonte de água próxima e use uma enxada nos blocos de grama para criar terras agrícolas perto da água. Plante as sementes.

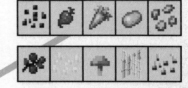

4 Coma a carne cozida para regenerar a fome.

5 Explore a área e busque recursos úteis. Colete as sementes e os vegetais que encontrar para começar sua primeira fazenda.

9 Volte para casa e coloque o ferro bruto e uma fonte de combustível na fornalha.

11 Retorne à fornalha e colete as barras de ferro fundidas.

10 Faça a colheita de sua plantação e plante novas sementes.

12 Use barras de ferro para criar ferramentas como picareta, machado, espada e tosquiadeira.

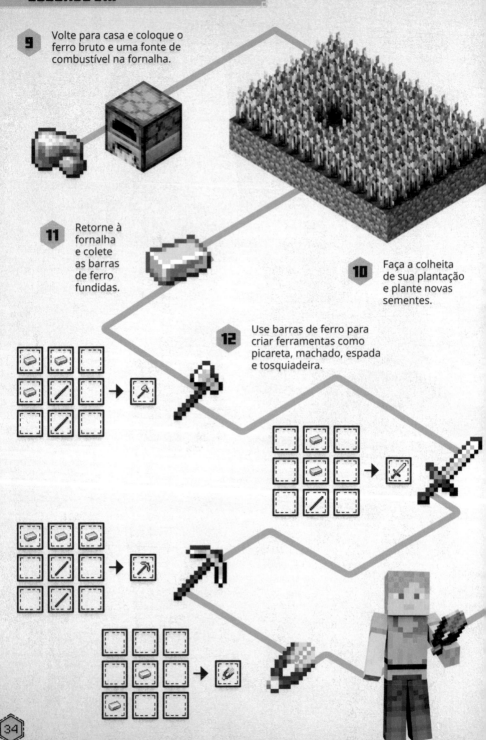

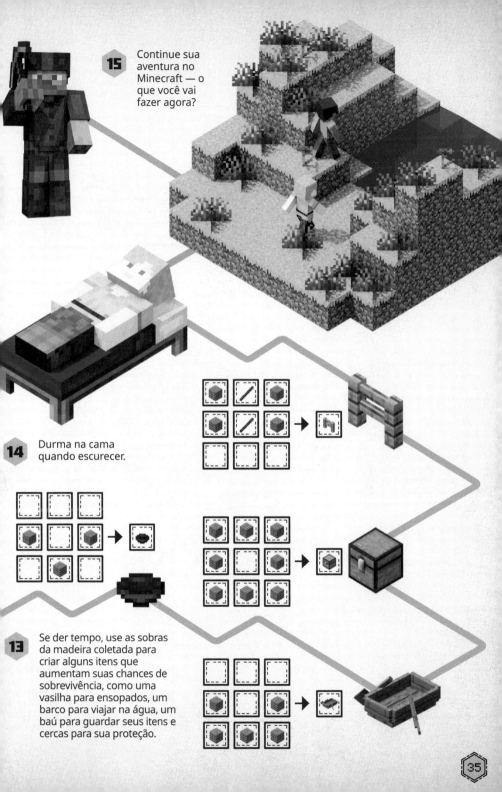

15 Continue sua aventura no Minecraft — o que você vai fazer agora?

14 Durma na cama quando escurecer.

13 Se der tempo, use as sobras da madeira coletada para criar alguns itens que aumentam suas chances de sobrevivência, como uma vasilha para ensopados, um barco para viajar na água, um baú para guardar seus itens e cercas para sua proteção.

DENTRO DO JOGO

Agora que começou seu mundo, é hora de se aprofundar nele.
Há muitas coisas interessantes para descobrir no Minecraft,
e cabe a você decidir o que deseja explorar primeiro.
Nesta seção, veremos em mais detalhes o que esse mundo de
blocos tem a oferecer, de biomas e estruturas geradas até
fermentação e encantamento. Aonde sua aventura o levará?

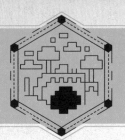

BIOMAS: MUNDO SUPERIOR

FUSÃO DE BIOMAS

As transições onde os biomas se fundem dão características únicas à paisagem.

DESERTO

Este bioma quente é formado por areia com uma vegetação de cactos e arbustos mortos, dificultando a sobrevivência na área. Como era de se esperar, corpos d'água maiores são raros e é mais provável que você encontre um lago de lava do que de água.

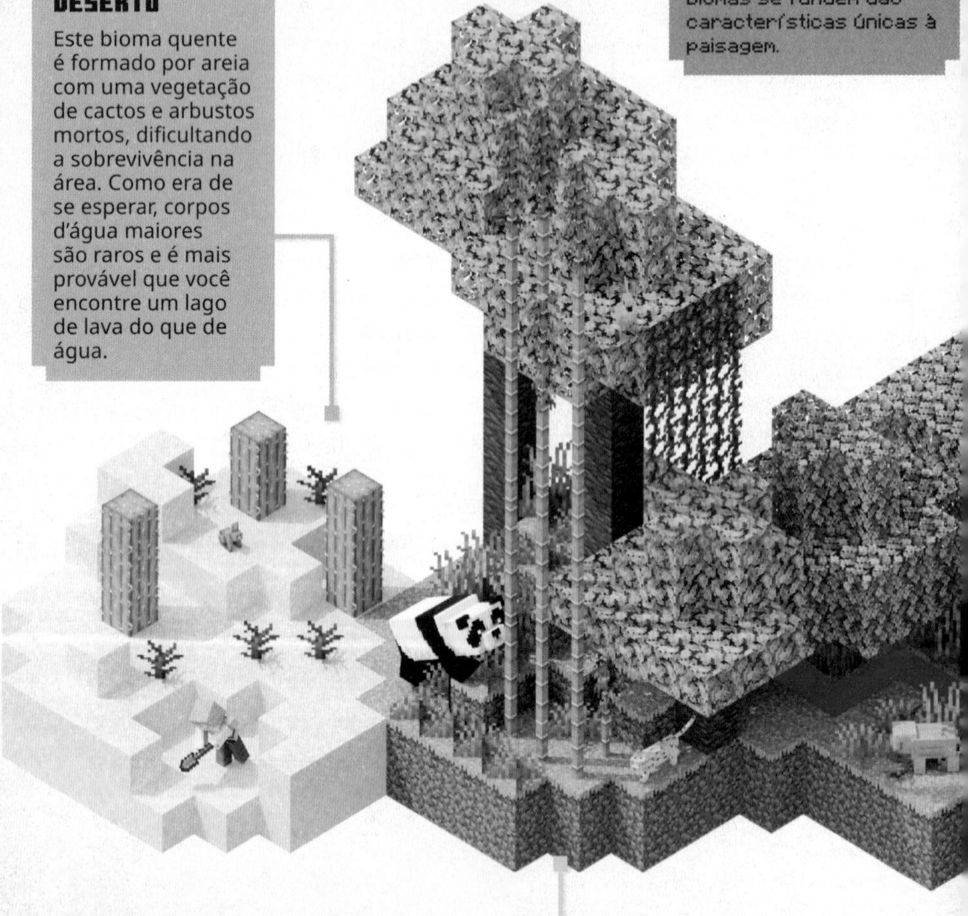

SELVA

Embora raras, as selvas têm vegetação exuberante e abundante, com uma rica vida selvagem. O bioma é coberto por uma tapeçaria de plantas, incluindo árvores gigantes da selva 2x2 que podem crescer até 31 blocos de altura. É um bioma denso onde é difícil construir.

O Mundo Superior é a dimensão onde você nasce pela primeira vez em um novo jogo. É um lugar de céu azul e nuvens brancas, sob o qual se encontra um mundo repleto de biomas ricos, com diversas paisagens, vegetação e criaturas esperando para serem descobertas. Vamos aprender sobre os biomas que você vai ver.

SAVANA

Este bioma plano de clima quente não vê chuva, então não se preocupe com raios — embora ele tenha suas nuvens. É um ótimo lugar para encontrar recursos, como acácias para cortar, cavalos para montar e lhamas para usar de animal de carga.

FLORESTA

As florestas são uma escolha popular para se assentar devido à abundância de carvalhos e bétulas, e por terem muitas flores e criaturas para descobrir. É também um dos biomas mais comuns.

PLANÍCIE

O bioma mais popular para começar um mundo Sobrevivência, as planícies têm grandes espaços abertos para construir e uma abundante vida selvagem para ser fonte de alimentos. Em geral há vilas próximas, pois o espaço aberto permite ver uma boa distância em todas as direções.

TUNDRA

Esses biomas frios e nevados têm menos árvores e criaturas do que os demais, e são um desafio no modo Sobrevivência. Porém, oferecem grandes áreas planas com espaço para construir.

ERMO

O bioma ermo, também chamado de planalto, é um bioma quente raro feito de areia vermelha com colinas e montanhas de terracota. Não são fáceis de achar, mas se conseguir, você pode ser recompensado, pois o minério de ouro é mais frequente neles. No entanto, é tão inóspito quanto desertos, com apenas cactos e arbustos mortos.

PÂNTANO

Semelhantes a brejos, cheios de águas rasas e turvas e vida selvagem, incluindo sapos. Slimes são mais comuns aqui, em especial durante a lua cheia.

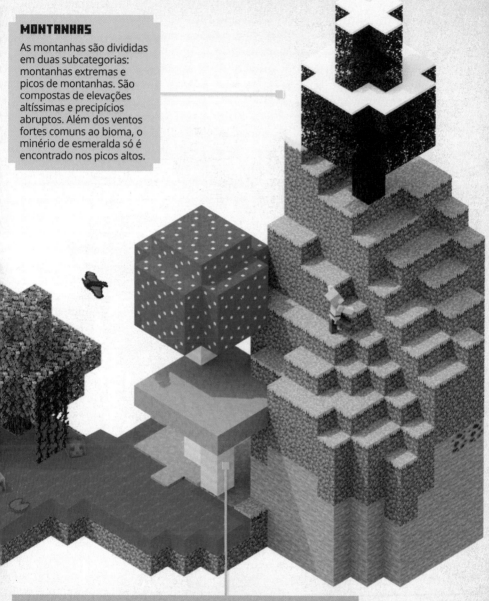

MONTANHAS

As montanhas são divididas em duas subcategorias: montanhas extremas e picos de montanhas. São compostas de elevações altíssimas e precipícios abruptos. Além dos ventos fortes comuns ao bioma, o minério de esmeralda só é encontrado nos picos altos.

CAMPOS DE COGUMELOS

Bioma mais raro e visualmente bizarro do Mundo Superior, os campos de cogumelos costumam ser gerados em ilhas. Em vez de grama e árvores, eles são cobertos por micélio e enormes cogumelos. E é onde vivem as coguvacas — uma estranha variante de vaca coberta de cogumelos.

TAIGA

O bioma de taiga é muito semelhante ao de floresta, mas é mais frio, tem um tom azulado, águas mais escuras e é cheio de samambaias e pinheiros. Nele, você encontra alguns arbustos de frutas vermelhas doces, abóboras e raposas.

PRAIA

Quando um oceano encontra um bioma, há três praias que podem ser geradas, dependendo da temperatura e altura do bioma: praia, costa rochosa e praia nevada. Tesouros enterrados em geral são gerados sob a areia, e grandes veios de minério de cobre são comuns.

RIOS

Esses biomas fluviais finos, longos e sinuosos são gerados entre biomas e são alimentados pelo oceano ou se formam em loops. Têm água, areia, cascalho e argila em abundância, e são cheios de recursos para começar sua jornada de Sobrevivência.

OCEANOS

Assim como no mundo real, cobrem a maior área do Mundo Superior – quase um terço! Esse bioma se estende até o fundo do oceano, o que o torna imenso. A sobrevivência é possível, mas desafiadora, com peixes e florestas de algas como fonte de alimento e ravinas subaquáticas onde minerar blocos.

VARIANTE RARA

Você pode encontrar um bioma de picos de gelo. Trata-se da variante rara das planícies nevadas e apresenta muitos pedaços de gelo erguendo-se da paisagem. Árvores e edifícios jamais são gerados aqui, o que faz dele um dos lugares mais inóspitos do Mundo Superior.

PLANÍCIES NEVADAS

Um bioma de pastos cobertos de neve, as planícies nevadas são um lugar desafiador, com neve em pó que congela viajantes desavisados e gelo azul escorregadio que dificulta o movimento. Pouquíssimas criaturas vivem aqui e cultivar é uma empreitada, pois as fontes de água congelam, tornando a irrigação de terras aradas incrivelmente difícil.

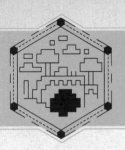

ESTRUTURAS GERADAS:
MUNDO SUPERIOR

VILA

Há comunidades de aldeões vivendo no Mundo Superior. As vilas são encontradas na maioria dos biomas e são cheias de locais de trabalho úteis. Você pode trocar recursos com os aldeões por blocos, itens e ferramentas.

PIRÂMIDE DO DESERTO

Essas grandes construções de arenito são encontradas nos biomas de deserto. Se procurar, encontrará uma sala secreta com 4 baús. Cuidado por onde anda — eles são protegidos por uma armadilha de dinamite!

TEMPLO DA SELVA

Cobertas de folhas e trepadeiras, essas estruturas de pedregulho ficam escondidas nos biomas de selva. Contêm um enigma de Redstone que, se resolvido, revelará 2 baús cheios de tesouro.

Ao se aventurar pelos biomas, você vai encontrar muitas estruturas geradas – edifícios em geral ocupados. Você vai ver diferentes estruturas na terra, no subterrâneo e até debaixo d'água. Você pode encontrar recompensas em seu interior – mas cuidado! Algumas são perigosas.

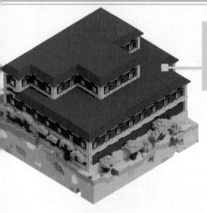

MANSÃO DA MATA

Uma enorme construção de carvalho escuro de três andares cheia de cômodos e baús de tesouro. Encontre-as com um mapa do explorador. Mas saiba: esta estrutura rara é defendida por vingadores e evocadores.

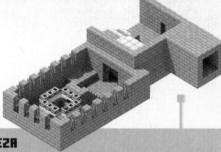

POSTO AVANÇADO DE SAQUEADORES

Não deixe de notar esses postos – embora defendidos por saqueadores com bestas, eles podem ter golens de ferro enjaulados e assistentes, além de outros tesouros – uma recompensa valiosa.

FORTALEZA

Nas profundezas subterrâneas, as fortalezas são estruturas labirínticas feitas de tijolos de pedra. São muitas salas para explorar e, no interior da fortaleza, haverá um portal do End inativo que você pode consertar para chegar ao End.

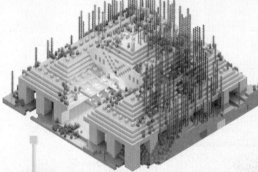

MONUMENTO OCEÂNICO

Esta enorme estrutura prismarinha fica nas profundezas subaquáticas. Abrigam guardiões e guardiões-mestres que afugentarão qualquer explorador. No entanto, a estrutura contém uma sala com oito blocos de ouro e potencialmente algumas esponjas, que são ótimas para absorver água.

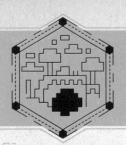

CRIATURAS DO
MUNDO SUPERIOR

INTERAÇÕES COM CRIATURAS

Não importa sua maneira de jogar o modo Sobrevivência, interagir com criaturas ajudará muito o seu progresso. Quer sejam passivas, neutras ou hostis, você pode colher os frutos se conhecer suas companheiras de mundo.

INVOCAÇÃO DE CRIATURAS

Criaturas vão ser invocadas naturalmente em todo o Mundo Superior, dependendo do nível de luz. Em geral, a maioria das criaturas passivas (amigáveis) e neutras vai ser invocada em áreas claras, enquanto as hostis (perigosas), nas escuras.

EXPERIÊNCIA & ITENS

Criaturas derrotadas podem dropar orbes de XP e itens que você pode usar para criar receitas e encantar itens. Alguns desses itens só podem ser obtidos assim. XP é usada ao encantar (ver página 66).

DOMESTICAÇÃO

Algumas criaturas, como gatos, cavalos e lhamas, podem ser domesticadas com sua comida favorita, tornando-se companheiras leais, enquanto outras, como axolotes e raposas, podem ser persuadidas a confiar em você. Uma vez domesticadas, elas vão seguir você. Lobos até ajudam na batalha.

REPRODUÇÃO

Algumas criaturas podem ser reproduzidas com certos alimentos. Alimentar duas criaturas da mesma espécie faz com que produzam descendentes.

Não vai demorar muito para você encontrar uma das muitas criaturas que vagam pelo Mundo Superior. Algumas delas podem se tornar companheiras úteis, enquanto outras tentarão ao máximo derrotar você. Independentemente de seu temperamento, todas serão úteis em sua aventura.

ÍCONES DE CRIATURAS

Nas páginas a seguir, você vai conhecer muitas das criaturas que pode encontrar no Minecraft. Cada uma tem diferentes medidores de vida e dano, além de diferentes itens que elas dropam quando derrotadas e alimentos que podem ser usados para domesticá-las e reproduzi-las. Fique de olhos nos ícones ao lado do perfil de cada criatura nas páginas a seguir para saber seus medidores na Bedrock Edition.

 20 — O coração significa o máximo de pontos de vida que uma criatura pode perder antes de ser derrotada.

 6 — A espada é o dano máximo que uma criatura pode causar no combate corpo a corpo na dificuldade Normal. Isso pode aumentar no modo Difícil.

 11 — O arco é o dano máximo que uma criatura pode causar à distância na dificuldade Normal. Isso pode aumentar no modo Difícil.

 2 — Algumas criaturas são protegidas por armadura. O medidor de armadura é o quanto de proteção a criatura tem com seu equipamento.

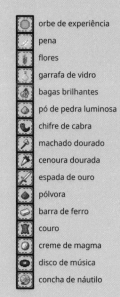
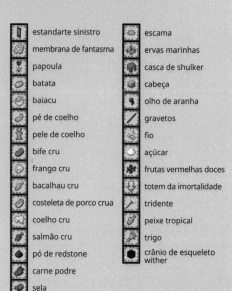

flecha	orbe de experiência	estandarte sinistro	escama
beterraba	pena	membrana de fantasma	ervas marinhas
vara de chama	flores	papoula	casca de shulker
osso	garrafa de vidro	batata	cabeça
farinha de osso	bagas brilhantes	baiacu	olho de aranha
vasilha	pó de pedra luminosa	pé de coelho	gravetos
pão	chifre de cabra	pele de coelho	fio
cenoura	machado dourado	bife cru	açúcar
carvão	cenoura dourada	frango cru	frutas vermelhas doces
barra de cobre	espada de ouro	bacalhau cru	totem da imortalidade
besta	pólvora	costeleta de porco crua	tridente
dente-de-leão	barra de ferro	coelho cru	peixe tropical
ovo	couro	salmão cru	trigo
esmeralda	creme de magma	pó de redstone	crânio de esqueleto wither
livro encantado	disco de música	carne podre	
pérola do End	concha de náutilo	sela	

CRIATURAS PASSIVAS

Tais criaturas são inofensivas e não atacam jogadores mesmo quando provocadas. A maioria delas é domesticável e pode ser reproduzida, o que faz delas muito úteis como companheiras e animais de fazenda.

ALDEÃO

São aldeões prestativos que trocam mercadorias por esmeraldas.

20 · 2

Criar

OVELHA

Esta criatura é a única fonte natural de lã, que é ótima para camas, carpetes e decoração. Encontrada na maioria dos biomas com grama.

8

Criar | **Dropa**

SALMÃO

Encontrada em oceanos e rios, esta criatura é uma ótima fonte de alimento.

6

Dropa

TARTARUGA MARINHA

Uma criatura aquática que sempre volta para sua praia natal para botar ovos e deixa cair uma escama quando cresce.

30

Criar | **Dropa**

GALINHA

Aves que não voam e são invocadas em áreas gramadas. Seguem você se oferecer sementes.

Criar

Dropa

PORCO

Comuns em biomas gramados, os porcos podem ser selados e montados.

10

Criar   **Dropa**

COELHO

Os coelhos vagam por aí e amam tanto cenouras que pularão de um penhasco só para alcançar uma.

3

Criar

Dropa

VACA

Esta grande criatura pode ser ordenhada com um balde e está em quase todos os biomas gramados.

10

Criar **Dropa**

GATO

Não é fã de gatos? Creepers também não, então eles os evitam. Gatos se aproximam se você estiver segurando um peixe cru.

10

Criar   **Dropa**

CAVALO

É preciso persistência para domesticar essa criatura amigável — você precisa montar nela até não ser mais derrubado. Só então você pode selá-la e montá-la.

Criar   **Dropa**

RAPOSA

Uma criatura noturna que ataca sua presa e pode carregar um único item na boca.

20

Criar **Dropa**

CRIATURAS NEUTRAS

Criaturas neutras em geral são inofensivas para os jogadores, mas se tornam hostis se provocadas. Algumas só ficam agressivas quando atacadas, enquanto outras podem ser provocadas de diversas maneiras.

URSO POLAR

Por mais fofo que seja, fique longe dos filhotes, pois ele ataca quem se aproxima de seus bebês.

❤️	⚔️
30	5

Dropa

CABRA

Criatura das montanhas que salta muito alto e pode dar cabeçadas em criaturas e jogadores.

❤️	⚔️
10	2

Criar	Dropa

ARANHA

Embora assustadoramente grande para uma aranha, esta criatura só se torna hostil com pouca luz.

❤️	⚔️
16	2

Dropa

GOLFINHO

Alimente-o com peixe cru e o golfinho levará você ao tesouro mais próximo, mas se o irritar você vai se ver com seu cardume inteiro.

❤️	⚔️
10	3

Dropa

LOBO

É facilmente domesticado e vai segui-lo e ajudá-lo na batalha. É especialmente hostil a esqueletos.

❤️	⚔️
20	4

Criar	Dropa
🦴	⚪

GOLEM DE FERRO

Esse guerreiro defende jogadores e aldeões de ameaças hostis e pode gerar papoulas para presentear os aldeões.

❤️	⚔️
100	21.5

Dropa	
🧱	🌷

ABELHA

Essa criatura fofa poliniza as plantas e é uma fonte de mel — mas cuidado, pois ela não desiste dele fácil!

❤️	⚔️
10	2

Criar	Dropa
🌻	⚪

51

CRIATURAS HOSTIS

Claro, nem todas as criaturas são amigáveis. Algumas atacam sem provocação. Biomas e estruturas podem conter diferentes ameaças em todo o Mundo Superior, por isso é bom saber o que você vai enfrentar! Se tiver sorte, uma criatura com armadura também dropará seu equipamento quando for derrotada.

CREEPER

Esta criatura sorrateira se aproxima dos jogadores e explode para causar danos imensos.

20   85

Dropa

ESQUELETO

Um morto-vivo empunhando um arco que atira flechas nos jogadores.

20   2   4

Dropa

ZUMBI-MÚMIA

Uma variante desidratada do zumbi que se arrasta pelas areias do deserto e pode sobreviver ao sol.

20   3   2

Dropa

AFOGADO

Esta variante zumbi é invocada debaixo d'água, nadando à noite para assombrar as praias, às vezes carregando um tridente.

20   11   9   2

Dropa

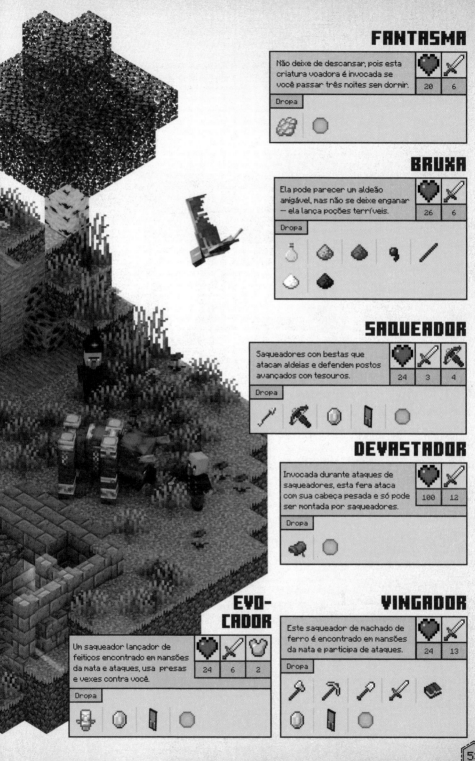

FANTASMA

Não deixe de descansar, pois esta criatura voadora é invocada se você passar três noites sem dormir.

20 | 6

Dropa

BRUXA

Ela pode parecer um aldeão amigável, mas não se deixe enganar — ela lança poções terríveis.

26 | 6

Dropa

SAQUEADOR

Saqueadores com bestas que atacam aldeias e defendem postos avançados com tesouros.

24 | 3 | 4

Dropa

DEVASTADOR

Invocada durante ataques de saqueadores, esta fera ataca com sua cabeça pesada e só pode ser montada por saqueadores.

100 | 12

Dropa

EVO-CADOR

Um saqueador lançador de feitiços encontrado em mansões da mata e ataques, usa presas e vexes contra você.

24 | 6 | 2

Dropa

VINGADOR

Este saqueador de machado de ferro é encontrado em mansões da mata e participa de ataques.

24 | 13

Dropa

53

DEFENDA-SE!

ARMADURA

Sua primeira defesa contra criaturas hostis é seu equipamento. Cada peça de armadura reduz cumulativamente o dano que criaturas e outras ameaças podem causar a você.

Elas podem ser trocadas se você quiser que seu personagem seja canhoto.

MÃO PRINCIPAL

CAPACETE

SUPER DICA

Você sabia que se estiver sem armadura você pode ser morto instantaneamente por um Creeper explosivo?

MÃO SECUNDÁRIA

 PEITORAL

 CALÇAS

 BOTAS

PONTOS DE ARMADURA

Cada peça de armadura que você veste lhe dá pontos de armadura que reduzem o dano recebido. Se estiver usando o conjunto completo, você também receberá pontos de armadura extras. Tanto a armadura de diamante quanto a de netherita podem fornecer os 20 pontos de armadura completos, mas a netherita oferece mais proteção contra ataques fortes.

Com tantas ameaças à espera em suas aventuras, é essencial se preparar para qualquer confronto. Uma boa espada e um escudo vão ajudar a mantê-lo vivo, mas você pode fazer mais coisas para defender a si mesmo e a sua casa. Preparar-se bem vai aumentar muito suas chances de sobrevivência.

DEFESA ESTRUTURAL

Manter-se seguro é um desafio, mas manter sua casa segura é ainda mais difícil. Você não gostaria de voltar para casa e dar de cara com um Creeper em seu quarto! Felizmente, há algumas precauções que você pode tomar para manter criaturas fora de sua casa.

ILUMINAÇÃO

Criaturas hostis só vão ser invocadas em áreas escuras. Ao colocar tochas ou outras fontes de luz em intervalos regulares ao redor de sua casa, você elimina espaços escuros e evita que elas sejam invocadas.

PAREDES & CERCAS

Um jeito infalível de impedir a entrada de criaturas é construir paredes de dois blocos de altura. Se não quiser uma parede, cercas ao redor de sua base vão manter a maioria das criaturas do lado de fora, além das com ataques à distância.

SOLEIRAS

Cuidado com os zumbis batendo na sua porta — no modo Difícil, com golpes suficientes eles vão quebrá-la! Você pode detê-los com um truque simples: uma soleira. Coloque sua porta acima do nível do solo e os ataques dos zumbis não vão danificá-la.

SUPER DICA

Quer mais maneiras de se defender? Leia sobre encantamento e fermentação nas páginas 66–69.

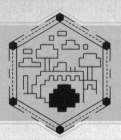

BATALHA CONTRA CRIATURAS

ESPADA E ESCUDO

Um ataque de espada derrotará criaturas com rapidez. Fique de olho no tempo de recarga do ataque — uma carga completa vai desferir um golpe devastador. Ao sofrer um ataque, erga o escudo para bloquear o dano recebido.

FERRAMENTAS

Se for pego desprevenido, algumas ferramentas podem ser usadas como armas, machados, picaretas e pás.

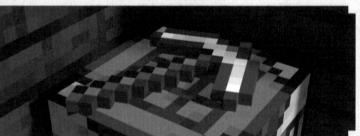

TRIDENTE

O tridente pode ser usado corpo a corpo e à distância, o que faz dele uma arma muito valiosa! Ele não pode ser criado — deve ser obtido derrotando os afogados que tiverem um.

BESTA & FLECHAS

Às vezes é melhor eliminar uma criatura de uma distância segura. Por exemplo, se você deixar um Creeper chegar muito perto, ele vai explodir, e pode até levar você junto. Cuidado para não ficar sem flechas!

Se você se encontrar cara a cara com uma criatura hostil, vai ter duas opções: lutar ou fugir. Bater em retirada é uma boa defesa, mas quando estiver encurralado, você pode ter que contar com sua espada para sair vivo. Se não puder escapar, lembre-se do seu treinamento!

TÁTICAS DE TERRENO

Use o terreno a seu favor. Criaturas não são controladas por jogadores e podem ser enganadas com alguns truques simples:

As voadoras e altas não podem alcançá-lo se você estiver abrigado sob um teto. Construir um telhado acima de sua cabeça vai impedir endermans e fantasmas de chegarem até você — mas você vai ficar preso e outras criaturas podem pegá-lo.

Em momentos de desespero, você pode construir um abrigo rápido e lutar contra criaturas de um lugar seguro. Uma câmara 3x3 como esta vai mantê-lo seguro em todas as direções e permitir que você ataque as criaturas. A maioria não consegue alcançá-lo — exceto criaturas pequenas, como bebês zumbis. Fique atento a essas pequenas ameaças e não deixe de eliminá-las primeiro.

Muitas criaturas não são capazes de escalar, então você estará seguro no alto. No desespero, você pode empilhar dois blocos, subir e então usar sua espada para eliminar as criaturas abaixo. Você pode acertá-las, mas eles não podem atingir você.

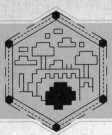

ORIENTE-SE

1 USE O SOL!

Assim como no mundo real, você pode contar com a posição do sol para navegar no Mundo Superior. Sabendo que o sol e a lua nascem no leste e se põem no oeste, que as nuvens sempre viajam para o oeste e que as estrelas também giram para o oeste, você pode se orientar sem uma bússola.

2 SALVE SUAS COORDENADAS

Você pode exibir a posição do bloco de seu personagem no canto superior esquerdo da tela selecionando Mostrar Coordenadas no menu Opções do Mundo. O X indica a longitude, o Y indica a latitude e o Z indica a elevação. Basta anotar as coordenadas de sua casa e, se você se perder, poderá navegar de volta para elas

3 MARCOS

Ter uma ideia da configuração de sua área vai ajudar a acompanhar onde você está e para onde precisa ir. Procure pontos de referência como rios, montanhas e biomas. Você também pode criar seus próprios marcos, como torres de blocos que possam ser vistas de uma grande distância para que você sempre consiga encontrar o caminho de volta.

Explorar o mundo de Minecraft é uma experiência de tirar o fôlego. Conforme você anda por selvas, pântanos e montanhas atrás de recursos, a beleza pode ser uma distração – a ponto de ser fácil se perder. Felizmente, existem alguns truques que você pode usar para navegar.

4 MAPAS

Carregue sempre um mapa localizador, que é criado com uma bússola. Ele registra a área enquanto você a explora, criando um guia visual para ajudá-lo a navegar, além de mostrar onde você está. Ele é até atualizado se o terreno mudar, o que significa que novas estruturas também aparecerão nele – você nunca mais terá dificuldade em encontrar o caminho de volta à base!

5 RASTRO DE TOCHAS

Aventurar-se no subterrâneo apresenta novos desafios de exploração, como infinitos túneis que desorientam até os jogadores mais experientes. Para ajudar a não esquecer onde você esteve e onde fica a saída, coloque tochas na parede à direita ao descer. Para voltar por onde veio, basta seguir as tochas de volta à superfície.

6 DEFINA UM PONTO DE RENASCIMENTO

Por fim, a maneira mais fácil e segura de garantir que você sempre possa voltar para casa é salvar seu ponto de renascimento usando uma cama. Se você se perder completamente, vai estar de volta à sua cama ao renascer. Isso só deve ser usado em último caso, pois você vai renascer sem nenhum de seus itens ou inventário. É um preço alto a pagar!

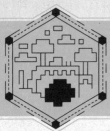

VÁ MAIS LONGE

SUPER DICA

Você pode aumentar sua velocidade de movimento com poções e encantamentos (ver páginas 66-69).

CAMINHAR, CORRER E NADAR

Você pode explorar à moda antiga – com seus pés! Caminhar e nadar são as maneiras mais simples de se locomover. Se estiver com pressa, você pode correr para acelerar a jornada, mas é bom estocar comida, pois dá fome!

CAVALGAR

Cavalgar é uma ótima maneira de cruzar grandes distâncias com rapidez. Primeiro você precisa de um cavalo, uma mula, um burro, andarilho ou um porco e uma sela. As selas não podem ser fabricadas, são obtidas em estruturas geradas ou negociando com aldeões coureiros. Nem todas as criaturas são montadas da mesma forma, mas precisam ser domesticadas primeiro (página 46). Burros, mulas e lhamas, podem até equipar baús para armazenamento extra.

CARRINHOS DE MINAS

Se pega a mesma rota com frequência, você pode conectar os dois destinos com uma ferrovia usando trilhos e um carrinho de mina. Ela vai permitir que você vá e volte fácil e rapidamente e pode ser uma linha de abastecimento usando carrinhos de minas com baús.

O mundo é imenso e logo você vai se ver atravessando grandes distâncias em busca de recursos, biomas e estruturas geradas. Dependendo de quão longe você precisa ir, é bom pensar na melhor maneira de chegar ao seu destino. Felizmente, há muitas maneiras de se locomover.

CENTRO DE PORTAIS DO NETHER

A maneira mais rápida e eficiente de percorrer grandes distâncias é pelo portal do Nether. No entanto, atenção: o Nether é um lugar perigoso (ver páginas 72-79). Você também vai precisar criar uma picareta de diamante para minerar a obsidiana necessária para construir as molduras do portal.

Um centro de portais do Nether funciona de maneira simples: para cada bloco percorrido no Nether, você percorre oito blocos no Mundo Superior. Por exemplo, se viajar 100 blocos no Nether até um segundo portal, você terá viajado 800 blocos na mesma direção no Mundo Superior.

Como o Nether está cheio de lagos de fogo e criaturas perigosas, muitos jogadores gostam de subir até o nível mais alto do Nether para construir seu centro.

SUPER DICA

Leve uma pederneira ao entrar em um portal. Se ele for danificado, você vai precisar reacendê-lo ou vai acabar preso na dimensão do Nether.

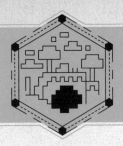

CONHEÇA OS ALDEÕES

ONDE ENCONTRÁ-LOS

Os aldeões são encontrados em aldeias nos biomas de planície, tundra, savana, deserto e taiga, e sua aparência varia dependendo de sua origem. Você pode até encontrar aldeões zumbificados pelo Mundo Superior. Eles podem ser curados com uma maçã dourada.

NEGOCIANDO

Todo aldeão com uma profissão vai estar disposto a negociar. Os itens disponíveis vão depender de sua profissão – veja a página a seguir. Você pode trocar blocos e itens por esmeraldas ou esmeraldas por blocos e itens.

NÍVEIS DE PROFISSÃO

Negociar com aldeões dará a eles experiência, aumentará seu nível e desbloqueará negociações melhores. Seus preços mudam de acordo com a demanda e eles podem ficar sem certos itens até poderem fazer mais. Todos começam como iniciantes e podem se tornar aprendizes, artífices e, finalmente, especialistas.

INICIANTE   APRENDIZ   ARTÍFICE   ESPECIALISTA

Você pode identificar o nível de um aldeão pela cor de seu cinto.

Os aldeões são mais do que criaturas amigáveis — eles têm muitos itens valiosos para negociar e são extremamente úteis. Eles oferecem de tudo, de esmeraldas a livros encantados e mapas do explorador, então, conhecer os vizinhos de sua vila pode trazer grandes recompensas.

PROFISSÕES

Exceto pelos enérgicos aldeões bebês e os nitwits, os aldeões são trabalhadores ocupados que procuram uma profissão. Se vir um aldeão desempregado usando vestes simples, coloque um bloco de trabalho para atribuir uma profissão a ele.

Nitwits são aldeões que não podem ter uma profissão.

	ARMOREIRO Negociante de armaduras e escudos poderosos.		**COUREIRO** Compra couro e produz armaduras e selas de couro com ele.	
	AÇOUGUEIRO Compra alimentos crus e vende alimentos cozidos.		**BIBLIOTECÁRIO** Compra livros e vende livros encantados.	
	CARTÓGRAFO Vende mapas do explorador e estandartes.		**PEDREIRO** Compra pedra e argila e vende vários blocos decorados.	
	CLÉRIGO Compra carne podre e vende itens como lápis-lazúli e pérolas do End.		**PASTOR** Compra lã e vende camas e estandartes.	
	FAZENDEIRO Negociante de comida, incluindo bolo e cenouras douradas.		**FERRAMENTEIRO** Vende ferramentas encantadas.	
	PESCADOR Compra peixe cru e vende peixe cozido e varas de pescar encantadas.		**ARMEIRO** Vende espadas e machados encantados.	
	FLECHEIRO Vende arcos e bestas encantados.			

NOVA PROFISSÃO

Você pode mudar a profissão de qualquer aldeão com quem ainda não negociou. É só destruir seu bloco de trabalho e colocar um novo. Se o mesmo bloco de trabalho for colocado, isso vai atualizar os itens a serem negociados.

FOFOCA E REPUTAÇÃO

Como qualquer grupo vivendo em comunidade, os aldeões adoram fofocar. Eles conversam sobre as suas boas e más ações e contam tudo a outros aldeões quando se encontram. Sua reputação é importante, pois afeta os preços oferecidos nas negociações.

ATITUDES POSITIVAS, como curar e negociar, aumentam sua reputação.

ATITUDES NEGATIVAS, como atacar e matar, diminuem sua reputação.

DEFENSOR DE FERRO

Os aldeões são prestativos, mas também vulneráveis. Felizmente, contam com a ajuda de golens de ferro para mantê-los a salvo de criaturas hostis. Se uma vila tiver pelo menos 10 aldeões e 20 camas, um golem de ferro será invocado para proteger as pessoas.

POPULARIDADE

Sempre respeite seus vizinhos. Se maltratar aldeões, não vai ser só sua reputação a diminuir, mas sua popularidade na aldeia como um todo. Se sua popularidade cair muito, os golens de ferro invocados naturalmente para proteger a vila se voltarão contra você e atacarão.

Negociar com aldeões vai lhe proporcionar muitos itens úteis necessários para a sua sobrevivência. Embora as vilas no Mundo Superior sejam geradas com aldeões, você vai precisar do apoio de uma vila completa com todas as profissões para aumentar suas chances. Você pode aumentar a população das vilas encorajando os aldeões a terem filhos.

TRANSFORMAÇÃO DA VILA

Para aumentar a população de uma vila, você pode deixar os aldeões mais propensos a procriarem criando as condições de vida perfeitas para eles. Aqui está uma maneira simples de transformar uma casa de uma vila em um ambiente que deixa dois aldeões mais inclinados a terem filhos.

CAMAS

Os aldeões precisam de camas para seus futuros filhos ou não vão se reproduzir. Coloque camas adicionais para cada novo aldeão que você deseja ter na aldeia.

PORTAS

Não se esqueça da porta, para seus aldeões poderem sair e cuidar de sua plantação — você não quer que eles morram de fome!

ALIMENTOS

Um aldeão bem alimentado é um aldeão feliz. Crie algumas terras aradas com uma fonte de água e plante cenouras, batatas ou beterrabas. Coloque um compostador e um aldeão logo começará a trabalhar no cultivo para fornecer à família a comida de que precisam. Mas ele precisa ser um fazendeiro!

SUPER DICA

Os aldeões não conseguem abrir portões. Coloque uma placa de pressão para mantê-lo fechado e seus aldeões a salvo de criaturas hostis.

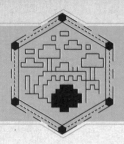

ENCANTE SUAS FERRAMENTAS

COMO FAZER ENCANTAMENTOS?

Para encantar, você precisará de uma mesa de encantamentos. Você pode criá-las com um livro, 2 diamantes e 4 blocos de obsidiana. Você vai precisar de uma ferramenta ou um equipamento para encantar, 1 a 3 peças de lápis-lazúli e alguns níveis de experiência para começar a encantar sua nova mesa.

USANDO UMA MESA DE ENCANTAMENTOS

Mesas de encantamentos oferecem encantamentos aleatórios que dependem do item e do número de estantes próximas. Ao interagir com uma, a seguinte interface de usuário vai aparecer:

Coloque de 1 a 3 pedaços de lápis-lazúli aqui para energizar seu encantamento.

O número à esquerda indica quantos níveis de experiência serão consumidos pelo encantamento.

Coloque o item que deseja encantar neste espaço.

O nome do encantamento é escrito no alfabeto galáctico padrão – mas não tem problema se você não conseguir entender! Passar o cursor sobre o texto traduz o nome do encantamento.

O número à direita é o nível que você precisa ter para completar o encantamento.

A lista de encantamentos disponíveis é afetada pela quantidade de estantes em seu alcance.

A maneira mais rápida de melhorar seu equipamento é encontrar um material mais forte, porém, a melhor maneira de melhorar o equipamento é com um encantamento. Há muitos encantamentos diferentes, de ferramentas mais duráveis até espadas mais poderosas. É recompensador, mas caro!

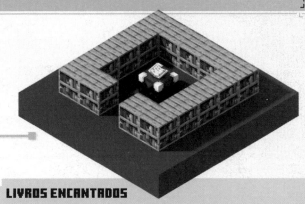

AMPLIANDO SEUS CONHECIMENTOS

Todo mundo sabe que quanto mais você lê, mais conhecimento acumula. Funciona do mesmo jeito para as mesas de encantamento! Se colocar estantes em torno de sua mesa de encantamento — até 15 —, você desbloqueia encantamentos mais poderosos, e todos eles até o nível 30.

LIVROS ENCANTADOS

Você pode encontrar a maioria dos encantamentos em uma mesa de encantamentos, mas alguns só podem ser obtidos como livros encantados na negociação com aldeões, como Reparação e Passos Gelados. Adicione-os aos itens usando uma bigorna.

ENCANTAMENTOS

Há 37 encantamentos únicos para encantar seu equipamento e você pode até ter vários em uma mesma peça. Alguns encantamentos podem ser aplicados a vários itens, enquanto outros são limitados a itens específicos. Aqui estão alguns dos encantamentos mais úteis do modo Sobrevivência:

EFICIÊNCIA

Aumenta a velocidade da mineração.

INQUEBRÁVEL

Aumenta a durabilidade dos itens.

JULGAMENTO

Aumenta o dano contra criaturas mortas-vivas.

QUEDA DE PENA

Reduz o dano de queda.

INFINIDADE

Evita que as flechas sejam consumidas.

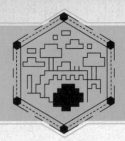

É HORA DA POÇÃO

COMO FAZER FERMENTAÇÕES?

A maioria das poções passa por várias etapas de fermentação, transformando o estado de sua poção até o que você deseja. Primeiro, você precisa de um suporte de poções. Eles podem ser encontrados em iglus e vilas e podem ser criados usando uma vara de chama e pedregulhos. As varas de chama são soltas pelos chamas (ver página 78), dos quais você também vai precisar para abastecer seu suporte de poções com pó de chamas. Você também precisará de garrafas de vidro e uma fonte de água, como um caldeirão, para enchê-las.

PROCESSO DE FERMENTAÇÃO

1 Encha as garrafas de vidro com água do caldeirão e coloque-as nos três espaços de fermentação. Coloque o pó de chamas no espaço do combustível — o número mostra quantos você ainda tem.

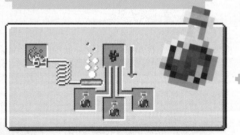

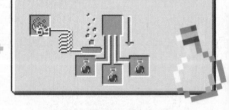

2 Crie uma poção base. Estranhas Poções são a base da maioria das poções e não têm efeito sozinhas. Você pode fermentá-las colocando um fungo do Nether no espaço do ingrediente.

3 Escolha um ingrediente para adicionar um efeito à poção básica e coloque-o no espaço dos ingredientes. Estranhas poções que recebem açúcar viram poções da Agilidade.

4 Retire as poções fermentadas do suporte e guarde-as em seu inventário. Experimente outros ingredientes para ver que poções pode criar.

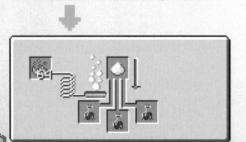

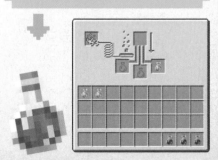

Depois de algumas semanas no Minecraft, sem dúvida você vai ter enfrentado muitas ameaças perigosas e ter se arrependido de não estar mais preparado. Com a fermentação, você pode criar muitas poções para ajudá-lo em sua jornada no modo Sobrevivência, da Poção de Resistência ao Fogo até uma Poção de Cura.

AQUI ESTÃO ALGUMAS DAS POÇÕES QUE VOCÊ PODE CRIAR PARA AUMENTAR SUAS CHANCES DE SOBREVIVÊNCIA:

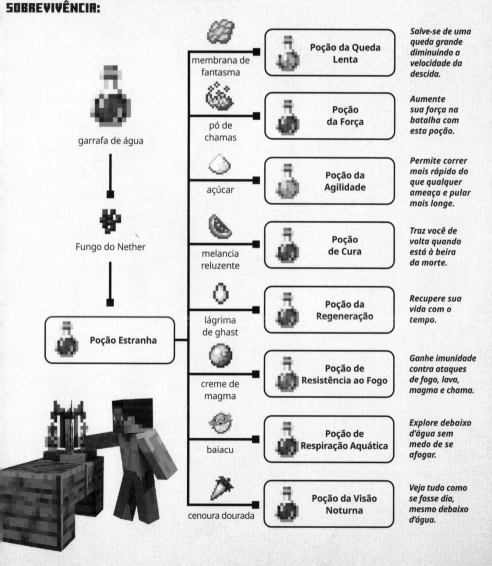

garrafa de água

Fungo do Nether

Poção Estranha

membrana de fantasma → **Poção da Queda Lenta** — Salve-se de uma queda grande diminuindo a velocidade da descida.

pó de chamas → **Poção da Força** — Aumente sua força na batalha com esta poção.

açúcar → **Poção da Agilidade** — Permite correr mais rápido do que qualquer ameaça e pular mais longe.

melancia reluzente → **Poção de Cura** — Traz você de volta quando está à beira da morte.

lágrima de ghast → **Poção da Regeneração** — Recupere sua vida com o tempo.

creme de magma → **Poção de Resistência ao Fogo** — Ganhe imunidade contra ataques de fogo, lava, magma e chama.

baiacu → **Poção de Respiração Aquática** — Explore debaixo d'água sem medo de se afogar.

cenoura dourada → **Poção da Visão Noturna** — Veja tudo como se fosse dia, mesmo debaixo d'água.

NOVAS DIMENSÕES

À medida que continua a desenvolver sua casa no Mundo Superior, você fica mais forte e preparado para enfrentar desafios maiores. É hora de descobrir duas dimensões alternativas: o Nether e o End. São dimensões perigosas e estranhas, mas também maravilhosas e diferentes de tudo que você já vivenciou no Mundo Superior – sem falar que estão cheias de tesouros que você não encontra em nenhum outro lugar! Descobrir e explorar essas dimensões colocará à prova suas habilidades de sobrevivência enquanto você explora os muitos perigos do Nether e enfrenta o infame Dragão Ender na dimensão End.

O NETHER

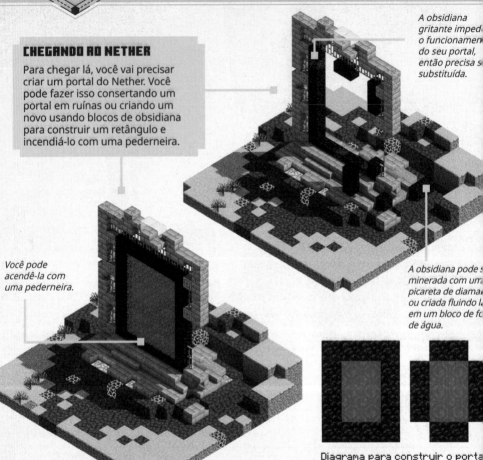

A obsidiana gritante imped[...] o funcionamen[...] do seu portal, então precisa s[...] substituída.

CHEGANDO AO NETHER

Para chegar lá, você vai precisar criar um portal do Nether. Você pode fazer isso consertando um portal em ruínas ou criando um novo usando blocos de obsidiana para construir um retângulo e incendiá-lo com uma pederneira.

Você pode acendê-la com uma pederneira.

A obsidiana pode s[...] minerada com um[...] picareta de diama[...] ou criada fluindo l[...] em um bloco de fo[...] de água.

Diagrama para construir o porta[...]

PONTO DE RENASCIMENTO

Uma vez no Nether, você pode querer dormir em uma cama para salvar seu ponto de renascimento — NÃO FAÇA ISSO! É impossível dormir nesta dimensão de pesadelos, e tentar vai fazer a cama explodir. Para salvar seu ponto de renascimento, você precisa de uma âncora de renascimento feita de obsidiana gritante e pedra luminosa.

Receita de âncora de renascimento

Ao explorar o Mundo Superior, você pode se deparar com um portal em ruínas. Consertá-lo cria um portal para a dimensão Nether, uma terra de fogo, lava e fungos — ou você pode fazer um do zero. Mas tome cuidado — esta é uma dimensão perigosa.

HABITANTES LOCAIS

As criaturas do Nether são tão hostis quanto as paisagens, como ghasts que disparam bolas de fogo explosivas e esqueletos Wither que querem jogar o efeito Wither em você. No entanto, também existem algumas criaturas que, com algum esforço, podem se tornar suas aliadas, como piglins, que vão negociar com você por barras de ouro.

detritos ancestrais

pedra luminosa

netherrack

quartzo

DETRITOS ANCESTRAIS

Explorar o Nether vai lhe proporcionar novos blocos para construir. Com sorte, você encontrará até detritos ancestrais. Eles podem ser fundidos em sucata de netherita que, quando combinada com barras de ouro, produz uma barra de netherita. Você pode então usá-las para ter as melhores armaduras e armas.

NOVAS MONTARIAS

Você pode querer trazer seu cavalo para o Nether, mas o terreno difícil e os enormes lagos de lava não são adequados para eles. Felizmente, andarilhos podem ser encontrados no Nether. Essas criaturas fofas farão qualquer coisa por alguns cogumelos, até mesmo atravessar a lava! Coloque uma sela em um andarilho e use um fungo deformado no graveto para guiá-lo.

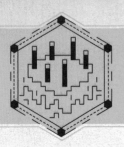

BIOMAS:
NETHER

VALE DA AREIA DE ALMAS

A versão do Nether de um deserto, este bioma é coberto pela areia de almas que deixa os jogadores lentos. Como se isso não bastasse, o fogo da alma – uma poderosa chama azul – também assola a terra. Não deixe de procurar restos fósseis de criaturas antigas.

FLORESTA CARMESIM

O bioma recebeu o nome do fungo carmesim abundante em sua superfície. Incomum para o Nether, que tem um terreno estéril, este bioma tem seu próprio ecossistema e está cheio de piglins e hoglins.

RUÍNAS DO NETHER

O bioma mais comum no Nether. É coberto por netherrack e depósitos de minério, mas também é dominado por perigosos piglins zumbificados.

PORTAL

Depois de enfrentar os perigos e coletar tesouros, você pode voltar ao Mundo Superior por meio de um portal e descobrir o quão longe viajou (ver página 61).

O Nether é um lugar perigoso com um terreno acidentado que torna a exploração um desafio. No entanto, entre os biomas há belezas e maravilhas a serem descobertas, além de muitos itens úteis, como varas de chama, que são essenciais para acessar a dimensão do End e fermentar poções.

DELTAS DE BASALTO

Talvez o bioma mais perigoso do Nether, os deltas de basalto consistem em formações de basalto íngremes e pontiagudas intercaladas com poças de lava. Cuidado por onde anda!

FLORESTA DISTORCIDA

No que diz respeito ao Nether, é um bioma relativamente seguro. Sua rica flora faz com que pareça um bom lugar para se estabelecer, mas os muitos Endermans destruidores vagando por aí são um perigo para suas construções e sua paz de espírito.

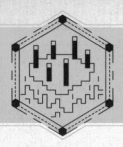

O NETHER:
TERRENO

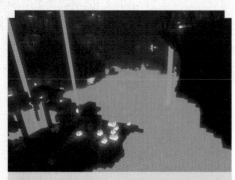

LAGOS DE LAVA

Enormes lagos de lava são parte de alguns dos biomas do Nether. É melhor não cair em um deles! Em alguns instantes, sua barra de vida se esgota e todos os seus itens são destruídos pelo calor. Se precisar atravessar a lava, construa uma ponte ou monte um andarilho.

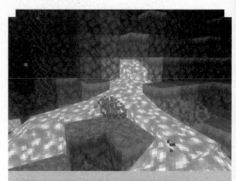

JATOS DE LAVA ESCONDIDOS

Cuidado na hora de minerar! Pode haver jatos de lava escondidos atrás das paredes de netherrack. Se a lava escorrer em sua direção, afaste-se rapidamente ou pare-a colocando um bloco. Diferentemente do Mundo Superior, você não vai ter água para apagar as chamas.

AREIA DE ALMAS

A areia de almas pode ser encontrada no bioma vale da areia das almas. Ela deixa você mais lento, e o torna um alvo fácil para criaturas. Se tiver uma mesa de encantamentos, encante suas botas com Velocidade de Almas para atravessá-la correndo.

COLUNAS DE BASALTO

Essas colunas verticais são encontradas no bioma deltas de basalto e são cercadas por lava. Um passo em falso e você vai nadar no líquido quente. Você pode obter creme de magma derrotando cubos de magma para criar poções de Resistência ao Fogo.

Os vários biomas do Nether são muito diferentes dos do Mundo Superior, então você vai precisar de novas estratégias para explorá-los. Evite correr e pular pelos blocos às cegas — você provavelmente vai acabar esbarrando em criaturas, caindo em poços de lava ou se perdendo.

SUPER DICAS PARA EXPLORAR O NETHER

O terreno acidentado torna a exploração um desafio. Antes de se aventurar, abasteça seu inventário com alguns itens e blocos úteis.

RESISTÊNCIA AO FOGO

É impossível ter água no Nether – ela evapora imediatamente. Assim, o fogo é ainda mais mortal! Prepare-se com algumas poções de Resistência ao Fogo em caso de emergência. Eles vão salvar sua vida se você cair na lava.

ANDAIMES E BLOCOS DE CONSTRUÇÃO

As quedas altas e os desfiladeiros largos tornam extremamente difícil viajar de um bioma a outro. Leve sempre algumas pilhas de blocos para construir pontes. Os andaimes também são úteis para escalar montanhas.

EQUIPAMENTO DE OURO

Os piglins adoram ouro. Adoram tanto que gostam até de jogadores que usam ouro. Mantenha-se a salvo deles usando equipamentos de ouro. Eles vão deixá-lo em paz, desde que você não toque em seu ouro ou seus baús.

MARCOS

É mais fácil se perder no Nether do que no Mundo Superior, pois você não pode criar mapas. Coloque um rastro de marcadores sempre que sair para explorar para poder voltar para casa.

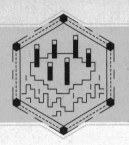

CRIATURAS DO NETHER

CUBO DE MAGMA

Esta criatura hostil pode ter 3 tamanhos. Quando derrotada, divide-se em 2–4 cubos menores.			👕
	1-16	3-6	3-12

Dropa

CHAMA

Derrotar esta criatura dá varas de chama úteis, mas cuidado com suas bolas de fogo.			
	20	5	6

Dropa

ESQUELETO WITHER

Esta variante de esqueleto alto usa uma espada de pedra e pode causar o efeito Wither.		
	20	8

Dropa

GHAST

Você provavelmente vai ouvir seus gritos assustadores antes de vê-lo. Evite suas bolas de fogo explosivas.		
	10	12

Dropa

As criaturas do Nether são invocadas com muito mais frequência do que as do Mundo Superior e são impossíveis de evitar. Fugir nem sempre é uma opção quando você está cercado por lagos de lava, então aprender um pouco sobre seu inimigo antes da batalha não é má ideia! Consulte o significado dos ícones na página 47.

PIGLIN

Piglins atacam imediatamente, a menos que você use ouro. Nesse caso, vão tentar fazer negócios.

❤	⛏	⚔
16	4	9

Dropa

PIGLIN BÁRBARO

Este piglin forte e de machado é encontrado nos restos do bastião e vai atacar mesmo se você estiver usando ouro.

❤	⚔
50	13.5

Dropa

HOGLIN

Importante fonte de alimento no Nether, é encontrado nos restos dos bastiões e nas florestas carmesim. Os adultos jogam você para cima – às vezes na lava!

❤	⚔
40	8

Dropa

ANDARILHO

Você pode atravessar a lava montado nessas criaturas. Podem ser conduzidos com fungos deformados no graveto.

❤
20

Dropa   Criar

O END

CHEGANDO AO END

Para chegar ao End, primeiro é preciso encontrar uma fortaleza no Mundo Superior e consertar o portal do End lá dentro. Para encontrar fortalezas, é só jogar pérolas do End e seguir a direção em que elas vão — elas apontam para a fortaleza mais próxima. Quando não apontarem para nenhuma direção, cave até alcançar a estrutura de pedregulho com musgo.

PORTAL DO END

Uma vez dentro da fortaleza, procure uma sala com um portal do End. O portal precisa de 12 olhos de Ender para funcionar, e você pode criá-los usando pérolas do End e pó de chamas. Depois de ser consertado, um campo estelar diante de um vazio preto vai aparecer – pule nele para viajar para a dimensão End.

Agora que visitou o Nether, você está pronto para enfrentar um dos maiores desafios do jogo? Antes de sair em uma jornada perigosa, prepare-se bem, pois uma vez dentro do portal, você não poderá voltar para casa até ter derrotado o Dragão Ender — ou até ele derrotar você!

BATALHA CONTRA O DRAGÃO ENDER

Seu primeiro desafio ao entrar no End é a batalha contra o Dragão Ender. Quando vencer, os portais de saída do End vão aparecer, o que lhe permite explorar o End, e um portal de volta ao Mundo Superior é ativado. Aqui estão algumas dicas para derrotar o Dragão Ender:

CRISTAIS DO END

O primeiro passo é destruir os cristais do End que ficam em cima dos pilares de obsidiana, pois eles curam o Dragão Ender até serem quebrados. Atire neles com um arco e flecha ou quebre-os com uma ferramenta, mas a segunda opção pode ser fatal, pois eles explodem.

EVITE O SOPRO DO DRAGÃO

Evite pisar perto das chamas rosas do sopro do dragão a todo custo! Essas chamas rosas esgotarão rapidamente sua barra de vida.

ENDERMANS

Cuidado também com os Endermans, pois eles se irritam facilmente durante a luta e podem se teleportar para você.

BALDE DE ÁGUA

Carregue um balde de água para evitar danos de queda. O Dragão Ender vai lançá-lo no ar, então usar um balde de água ao cair vai salvá-lo de um dano de queda potencialmente fatal.

MIRE NA CABEÇA

Ao atacar, tente acertar a cabeça do Dragão Ender para causar o máximo de dano. Os golpes no corpo causam apenas danos mínimos.

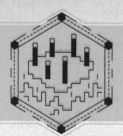

BIOMAS: END

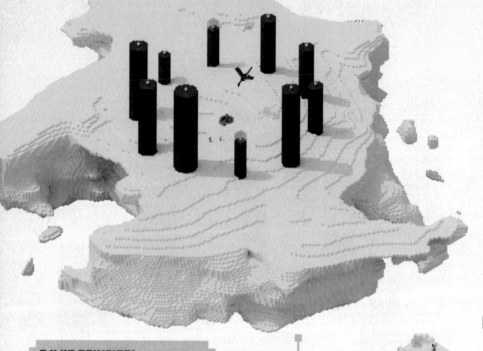

A ILHA PRINCIPAL

Gerada no centro da dimensão End, é onde sua batalha contra o Dragão Ender acontece, e contém o único portal de saída do Fim de volta ao Mundo Superior.

PORTAL DE SAÍDA DO END

Esses portais aparecem depois de você derrotar o Dragão Ender e permitem acesso às ilhas externas do End. Você pode viajar pelos portais jogando uma pérola do End diretamente em um — mas não se esqueça de levar uma pérola extra para a viagem de volta. Se quiser visitar outro local do End, você pode convocar o Dragão Ender outra vez e derrotá-lo para abrir outro portal – até 20! Imagine quanto tesouro que você pode encontrar em 20 lugares no End!

Parabéns! O Dragão Ender foi derrotado e os créditos finais passaram. Mas sua aventura não termina aqui! Agora você desbloqueou um portal de saída do End, que leva às ilhas flutuantes externas dessa dimensão semelhante ao espaço. Pegue suas pérolas do End, é hora de caçar tesouros!

AS ILHAS EXTERNAS

Essas ilhas só podem ser visitadas depois de derrotar o Dragão Ender. Elas em geral têm mais diversidade que a ilha do End; algumas são cobertas com árvores do coro e outras com cidades e barcos do End. Se as ilhas estiverem próximas o suficiente – o que em geral acontece –, você pode viajar entre elas usando as pérolas do End.

CIDADE DO END

As cidades do End são geradas naturalmente nas ilhas externas, embora nem sempre sejam fáceis de encontrar. São únicas por seus aglomerados de estruturas altas e roxas, que podem gerar uma torre singular ou muitos edifícios interligados. É aqui que você encontra itens valiosos, como élitros.

O END:
TERRENO

EXPLORANDO O END

O End tem muito a oferecer em termos de tesouros valiosos, porém grandes vazios entre as ilhas e inúmeros Endermans em todas as direções fazem do End uma dimensão perigosa para se explorar. Seguem algumas dicas importantes para sobreviver:

FRUTA DO CORO

É a única fonte de alimento no End, embora tenha um efeito especial. Ao comê-la, você será magicamente teleportado para um bloco próximo. É irritante, mas pode salvar sua vida – especialmente se você for atingido por uma bala shulker (ver shulkers na página 86). Se estiver flutuando no espaço, coma uma para ser trazido de volta à terra firme.

TELHADO DE TRÊS BLOCOS DE ALTURA

Os Endermans têm cerca de três blocos de altura, ou seja, só podem ocupar espaços do mesmo tamanho! Construa uma plataforma acima de sua cabeça e fique embaixo dela, fora do alcance deles.

CABEÇA DE ABÓBORA

Encarar um Enderman nos olhos os torna hostis — mas não se você estiver com uma cabeça de abóbora! Coloque uma e mude para a visualização em 3ª pessoa para sua visão não ficar restringida.

O terreno do End é diferente do de qualquer outra dimensão. É cheio de ilhas flutuantes cercadas por um vazio escuro. Você pode construir pontes ligando as ilhas, mas vai precisar de uma quantia imensa de blocos. Felizmente, há uma maneira mais fácil de viajar: as pérolas do End.

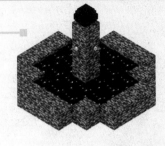

Um portal de saída será ativado quando você derrotar o Dragão Ender.

VIAGEM COM A PÉROLA DO END

As pérolas do End são uma boa forma de viajar. Ao jogar uma, você é instantaneamente teleportado para onde quer que ela caia, mas você recebe dano de queda e tem a chance de gerar um irritante endermite. Mire alto, jogue a pérola do End e torça para ter uma boa mira! É recomendado praticar no Mundo Superior antes de se aventurar no End.

A pedra do End não pode ser movida por Endermans, o que faz dela o material de construção de bunker perfeito.

CULTIVANDO PÉROLAS

Você vai precisar de MUITAS pérolas! O modo mais seguro de obtê-las é com uma fazenda de pérolas. Construa um bunker com um bloco de profundidade no solo com um telhado de dois blocos de altura para os Endermans não poderem entrar. Quando o bunker estiver pronto, olhe para o máximo de Endermans que puder, depois recue para o bunker e ataque-os por baixo com a espada.

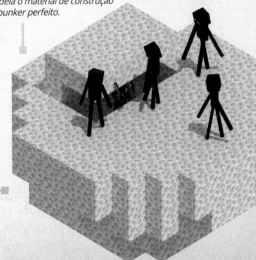

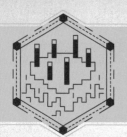

CRIATURAS DO
END

ENDERMAN

Evite o contato visual com essas criaturas altas que se teleportam — isso só vai provocá-las!

40	7

Dropa

 |

DRAGÃO ENDER

Esse enorme dragão é temível na batalha, e é uma das criaturas mais difíceis de derrotar.

200	6	10

Dropa

SHULKER

Essa criatura parece um bloco de púrpura comum até se abrir e atirar balas que fazem você levitar!

30	4	20

Dropa

 |

O End está cheio de criaturas hostis poderosas e estranhas, então você precisa entrar nele com cuidado. É onde vive o feroz Dragão Ender, bem como outras criaturas igualmente dispostas a atacá-lo. Você precisa se preparar antes de enfrentá-las! Consulte o significado dos ícones na página 47.

ENDERMITE

Quando você joga uma pérola do End, há uma chance de essa criaturinha de vida curta surgir para atacá-lo.

♥	⚔
8	2

Dropa

ESTRUTURAS GERADAS: NETHER & END

NETHER

FORTALEZA DO NETHER

Essas imponentes fortalezas de tijolos estão por toda a dimensão do Nether. O fungo do Nether — um componente essencial para a fermentação — cresce aqui, mas também há muitas criaturas perigosas à espreita, incluindo chamas.

BASTIÃO EM RUÍNAS

Bastiões em ruínas são edifícios deteriorados cheios de piglins defendendo baús valiosos e salas de tesouro. Explore-os se tiver coragem, mas cuidado com a ira dos poderosos piglins bárbaros!

Agora que passou pelos portais para o Nether e o End, você deve estar se perguntando que estruturas legais existem para serem exploradas e, mais importante, que tesouros! Siga com muito cuidado, pois essas estruturas, embora cheias de tesouros, são defendidas por algumas das criaturas mais ferozes do Minecraft.

END

CIDADES DO END

Essas torres de pedra púrpura do End se estendem contra o céu escuro. Estão espalhadas pela dimensão do End e encontrá-las pode levar um tempo. No entanto, seus baús contêm itens valiosos, como diamantes. Porém, tome cuidado, pois o tesouro é protegido por shulkers!

BARCOS DO END

Mais raros até do que as cidades do End são os barcos do End, que só são gerados em algumas das cidades do End. Se encontrar um, é seu dia de sorte, pois deve encontrar a bordo um élitro, uma criatura muito procurada. Élitros levam você aos céus!

PORTAL DE SAÍDA

Encontrado na ilha principal, esse portal é o único caminho de volta para o Mundo Superior – além da morte, claro! Ele faz você voltar ao seu ponto de renascimento e só funciona depois que um ovo de dragão é invocado em cima dele, após você derrotar o Dragão Ender.

PREPARATIVOS RÁPIDOS

BAÚ BÔNUS

Quando configurar seu mundo pela primeira vez, vá para o menu Mais Opções do Mundo e alterne Baú Bônus: ativado. Isso vai gerar um baú com itens básicos úteis que podem ser usados no início do jogo para acelerar o processo.

ABRIGO NA CAVERNA

Nem todas as casas precisam ser bonitas e confortáveis. Nas primeiras noites, por que não acampar em uma caverna já existente? Não vai ter o luxo de uma casa feita do zero, mas você vai estar protegido de criaturas.

CULTIVO RÁPIDO

Cultivar não precisa ser demorado. Derrotar esqueletos vai lhe dar ossos que podem virar farinha de osso. Ela pode ser usada como fertilizante para acelerar o crescimento das plantações, e você logo terá uma fazenda totalmente crescida!

Quer se acomodar no Mundo Superior o mais rápido possível? Se acredita que já possui as habilidades para sobreviver, talvez você queira pular algumas etapas e ir direto para o meio do jogo. Você pode economizar horas no início do jogo com alguns truques para jogadores experientes.

FERRAMENTAS JÁ

Embora seja uma boa prática criar um conjunto completo de ferramentas o mais rápido possível, isso não é absolutamente necessário. É possível começar só com uma picareta de madeira para coletar pedregulhos e criar uma picareta de pedregulho. Em seguida, procure minério de ferro e crie um novo conjunto de ferramentas mais rápidas, fortes e duráveis.

 1 Comece com uma picareta de madeira para minerar pedra.

 2 Uma espada de pedra vai mantê-lo seguro enquanto procura por minério de ferro.

 3 Um conjunto completo de armadura de ferro reduz danos em 60%.

PROCURE CONSTRUÇÕES

Antes de parar e montar uma base, explore e procure estruturas geradas. Elas estão cheias de recursos úteis, de ferramentas e equipamentos até alimentos e blocos. Vilas, por exemplo, são comuns em todo o Mundo Superior e são fonte de alimentos e sementes para o cultivo. Mas lembre-se de respeitar seus vizinhos amigáveis ou eles não receberão você de novo!

DESAFIOS DE FIM DE JOGO

TEMPESTADES

Quando você acha que já aprendeu tudo sobre se manter vivo no modo Sobrevivência, uma tempestade aparece para colocar uma pedra – ou um raio – no caminho! Embora incomuns, as tempestades podem ser perigosas e até mortais, com raios caindo aleatoriamente, causando estragos e incendiando você caso o atinja — talvez duas vezes! Os porcos começam a se transformar em piglins zumbis, os aldeões em bruxas, as tartarugas marinhas começam a derrubar vasilhas e você pode até se ver cercado por cavaleiros esqueletos! Planeje-se e crie alguns para-raios com barras de cobre para direcionar o raio para longe de você e de seus pertences inflamáveis.

Você já explorou todas as dimensões, mas sua jornada não precisa terminar aqui. Ainda há muito conteúdo a aproveitar, sem falar que o jogo é atualizado regularmente com novas criaturas, novos blocos, itens e biomas para você descobrir. Aqui estão apenas alguns dos desafios que esperam por você no modo Sobrevivência!

SINALIZADORES

Se você acha difícil encontrar o caminho de volta à base, um sinalizador pode ser perfeito para você. Esses feixes de luz forte podem ser vistos de centenas de blocos na Java Edition ou até 64 blocos na Bedrock Edition. Mas essa não é sua única utilidade – os sinalizadores também podem lhe conceder vários efeitos enquanto estiver dentro do alcance, como Velocidade, Rapidez, Resistência, Salto Turbinado e Força, facilitando a sobrevivência.

DEBAIXO D'ÁGUA

Agora você sabe como viver na terra, mas e no oceano? Sobreviver debaixo d'água apresenta um problema óbvio: respirar. Mas também pode ser incrivelmente escuro nas profundezas. Felizmente, existe uma solução para ambos os problemas: um aqueduto. Construir um em sua base subaquática concede os efeitos Respiração Aquática, Visão Noturna e Rapidez enquanto você estiver dentro do alcance do aqueduto. Ele até ataca criaturas hostis para manter sua casa aquática protegida! O mar é o lar de muitas criaturas e tesouros, por isso vale a pena explorá-lo.

ATÉ MAIS!

Parabéns, você completou sua jornada pelo Guia de Sobrevivência! Está se sentindo um verdadeiro aventureiro? Pois deveria, porque acabou de aprender o essencial para sobreviver no Mundo Superior, no Nether e no End.

Mas isso é só o começo. Há muito mais para vivenciar nos biomas do Minecraft e muito mais para aprender. Afinal, não dá para botar tudo em um livro!

Então, qual é o seu próximo desafio? Que tal montar uma expedição às profundezas do mar? Ou construir um sinalizador? Ou que tal cavar bem fundo na escuridão?

O que quer que venha a seguir, esperamos que você se lembre de que um dos maiores desafios que todos enfrentamos não é sobre nossas habilidades ou nossa experiência. é acreditar em nós mesmos. Se você conseguir derrotar aquela vozinha que tenta lhe dizer que algo é difícil demais, então já está no caminho certo para vencer!

VOCÊ CONSEGUE!

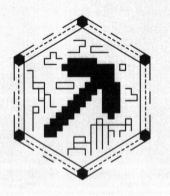